米原万里の「愛の法則」

米原万里
Yonehara Mari

a pilot of wisdom

目次

人類の使命から解放されて、楽しい人生の本番

◎第二章

国際化とグローバリゼーションのあいだ

◎第四章　通訳と翻訳の違い

辞書を引かずに本を読み通す／前後の文脈からわかる言葉の意味／攻撃的で立体的な読書／分析して理解する／書き言葉の先生は本／外国語を忘れないための読書／読書こそ最良の学習法／生きた言葉にするためのプロセス

図表作成・ナッティワークス（寺嶋弘樹）

本書に寄せて

池田清彦

米原万里の体に卵巣がんが見つかったのは、確か二〇〇三年の秋だったと思う。摘出手術後しばらくは元気だと言っていたのだが、二〇〇五年の二月頃に転移がわかり、以後すさまじい闘病生活となった。米原の親しい友人であった吉岡忍から、容態はかなり悪いと聞いていたが、人でなしの私は見舞いはおろか連絡さえ取らなかった。もっとも米原に会ったところで、私に何かできるわけのものでもなかったが。私にできることは、米原万里という稀有《けう》の魂が、死を目前にして疾走する姿を見届けることだけだった。

酷《ひど》い体の状態とはうらはらに、米原の執筆活動は衰えを見せず、権力の卑劣さを糾弾する舌鋒《ぜっぽう》は死の瞬間まで健在であった。深刻な自らの病状を記す時でさえ、筆致は常に乾いていて崩れることがなかった。米原の晩年のエッセイは、物書きとしての矜持《きょうじ》が、病に対する絶望感をギリギリの所で凌駕《りょうが》している、一種スリリングな空間であったように思う。

本書はそんな時期の講演をまとめたものだ。独りで文章に呻吟《しんぎん》している時と違って、一般聴衆を前にしての講演は、転移がんの苦痛を一瞬だけ忘れることができた時間だったのであろう。本書には、米原の往年の好奇心とサービス精神があふれている。

第一章の「愛の法則」は米原のお得意のテーマの一つで、男と女の性と愛を古今の小説や生物学の薀蓄《うんちく》を傾けて面白おかしく語っている。生物学を専攻している私から見るとずいぶんあやしげな説も多いのだけれども、米原にかかると、どんな説も自家薬籠《やくろう》中の興味深い話になってしまう。余人には真似のできない才能である。女の悪口を男が言えば嫌味になるが、男の悪口を女が言うと芸になる、というのは残念だけれども本当である。

あらゆる男は、A・ぜひ寝てみたい男、B・まあ、寝てもいいかなっていうタイプ、C・たとえ大金をもらっても絶対寝たくない男、の三つに分けられ、私の場合九〇％強はCだ、などというすさまじい科白《せりふ》は、米原が女だからこそ言えるのであって、男は九〇歳位にならないと同じような科白は吐けない。真面目な若者たちが度肝を抜かれながらもゲラゲラ笑っている様子が目に浮かぶ。

第二章の「国際化とグローバリゼーションのあいだ」では、アメリカ人の言うグローバリゼーションは、自分たちの基準を押しつけることであり、日本人の思うグローバリゼーションは世界の基準に自分を合わせることだ、とのまことに見事な分析を行っている。これは、日本語が音だけの外国語を受け入れて、意味がわからなくても使える構造になっていることと多少とも関係があるのではないか、というのが米原の意見である。

たとえば、日本語だと「ラブホテル」はそのままカタカナ語で言ってしまうが、中国語ではそうはいかず、中国語の意味に直さないと使えないという。それで香港では「情人旅館」と言うそうな。若者相手の講演でそんな話をしながら、日本語と日本文化の問題点を易しく解説してみせる。見事な話芸である。

「理解と誤解のあいだ」と題された第三章は、言葉とは何かという大問題に、通訳としての経験から肉薄する大変すぐれた評論になっている。言葉は記号でそれ自体はある同一性を孕《はら》むけれど、記号が意味するものは人によって異なる、という当たり前の事実から出発した、米原ならではのコミュニケーション論だ。言葉は誤解されるものだというたとえに使った小咄がまた米原らしい。

ニューヨークのハーレムで黒人の浮浪者の前に神様が突然に現れて、三つの願いをかなえてやろうと言ったそうな。彼は迷わず「白くなりたい」「女たちの話題の的になりたい」「いつも女の股ぐらにいたい」。すると男の姿は消え去り、路上にはタンポンが一個転がっていたという。こういう下ネタを米原は死ぬまで愛していた。きっと、猫と同じくらい下ネタが好きだったんだと思う。

第四章は「通訳と翻訳の違い」。プラハでの子供時代の経験から超一流の同時通訳になるまでの自伝と言ってよい内容だ。どうしたら語学ができるようになるかという方法論にもなっている。言語を理解するとは、記号と概念のあいだの変換プロセスを体験することだ、と米原は述べる。外国語を極めたいと思っている者たちにとって、これは本質的なアドバイスである。

治る見込みのない転移がんに冒されて、泣きたい時もあったろう。怒りたい時も、怨みたい時もあったろう。しかし、表現者としての米原は最期まで読者へのサービス精神を失わなかった。あっぱれと言う他はない。

第一章　愛の法則

こんにちは。米原です。

私が、「愛の法則」を研究しはじめたのは、中学生の後半ぐらいでした。すごく興味を持っていたんですね。セックスのことと異性のことばかり考えていました。当時、あまりテレビがなかったものだから、それらについての情報がいちばん集まるのは本だったんです。本をたくさん読んでいたので親は喜んでいましたけれども、私はそのところばかり興味を持って、『千一夜物語《アラビアン・ナイト》』は十三巻全部読んだし、文芸大作と言われるものはほとんど全部、読みました。

『三銃士』は皆さん、子ども用の『三銃士』しか読んだことがないでしょう？　でも、あれは原典を読むとすごいですよ。ダルタニアンとミレディの濡れ場ばっかり、ベッドシーンばっかりですから。それから、『レ・ミゼラブル』って『ああ無情』って訳されてるけれども、この作品も子ども用のしか、皆さんは読んでないでしょう？　大人用の原典のほうを読んでないでしょう？　原典を読むと、コゼットのお母さんが売春婦をしていた話などもちゃんと出てきますからね。

世界的名作の主人公はけしからん！

そういうわけで、私は子どもの頃から文学少女というか、そういう本ばかり読んで育ちました。そしてそれを読めば読むほどだんだん腹が立ってくるんですよ。不愉快になってくる。なんでそんなに不愉快になったかと言うと、小説が全盛時代というのは十九世紀ですから、私が読んだのは大体十九世紀の小説なんですね。森鷗外《おうがい》とか夏目漱石とか永井荷風とか、あるいはツルゲーネフとかレールモントフとかバルザックとかヴィクトル・ユゴーとか、そういった作家の小説を読んでいて、なんで腹が立ったかと言うと、主人公は男で、ほとんど男の目で見た世の中のことが描かれているからです。主人公は醜男だったり、どうしようもない男だったり、いろいろなタイプの男が登場するんだけれども、男たちの恋愛対象となる、ロマンチックな感情の対象となる女というのは、みんな若い美女って決まっているんです。若いブスも若くない人も対象にならない。すごく狭いのです。

私は当時、まだ中学生ぐらいで、若くはあったけれども美女ではなかったから、鏡を見て、ああ、私の一生は恋に恵まれないのだとずっと思い込んで、あきらめなくてはいけないんだなと感じていました。実際、その頃は恋の体験なんて片思いしかしていませんからね。恋の体験というのは全部、小説の中でしか体験していませんから。なぜ若くて美人なんていう、本人の意志ではどうにもならないところで男は選ぶんだって、けしからんって、そういうふうに思っていたわけです。

では、小説の中の女はどんなふうに男を選んでいるかというと、これは結構、男の仕事ぶりとか、誠実なところとか、あるいはセックスがうまいとか下手とか、結構本人の努力の余地を残してあげているわけです。まだ救いがあるでしょう。小説も、十九世紀は大体そうなんだけれど、二十世紀も後半になってくるとようやく、美しくない女、あるいは若くもない女が案外恋愛をしていたりと、いろいろな可能性が出てくるんですが、それでも小説の本流は依然として十九世紀ですからね。

もてるタイプは時代や地域で異なる

なぜそうなったのか、なぜこういう理不尽なことがまかり通るのかと考えてみました。

当時、まだ若いから浅知恵で私が考えたのは、女は生活もセックスも男次第という時代が長かったから、男の仕事ぶりとかで女は選んだけれども、男のほうは女によって人生を左右される割合が低かったから――ほんとうはそうではないのですが――ある意味で、純粋に好みで選べたのではないかと考えたのです。

ところが、この好みというのがかなり曲者《くせもの》なのね。私はこういうタイプがいいわとか、僕はこのタイプが好みだな、なんて言っているでしょう。みんな個々別々バラバラだと思っているけれども、ある時代のある社会の一定の階層に属する人々の好みには、かなりはっきりとした傾向が見られるのです。その中にいるとわからないけれども、違う時代から見たり、あるいは外国から、ほかの民族から見たり、違う身分の人から見ると、明らかに好みにはある集団的な傾向があるのです。

例えば、世界最古の小説と言われている『源氏物語』の主人公、光源氏。当時としては理想的な男性なわけです。姿形も美しいと言われている。でも実際、どんなタイプだったかと言うと、色白の下膨《しもぶく》れなのね。これ、現代では絶対もてないタイプですよ。それから、浮世絵の美人画というのがありますが、浮世絵の美人って目が糸みたいにすごく細いですよね。これもう流行《はや》らない。あの絵を見て発情する男って、今はあんまりいないと思います。

作家の司馬遼太郎をご存じだと思いますが、『竜馬がゆく』『坂の上の雲』などの歴史小説や、『街道をゆく』シリーズというおもしろいエッセイを書いています。オランダ紀行とかモンゴル紀行や、日本のさまざまな地方の紀行文であると同時に、彼は博学博識なので、その中でいろいろな考えを展開していく、大変おもしろいシリーズです。私はこのシリーズが大好きでほとんど全部読みましたけど、このシリーズやほかのエッセイでも、司馬さんは、民族ごとに異性の好みが違うということにふれています。

その中の一つを紹介すると、モンゴルのような遊牧狩猟民族ではどんなタイプの男がもてるかというと、浅黒くて精悍《せいかん》ですごく男臭い感じの男がもてるんですよ。同じモンゴロイドでも、ヴェトナムは水田稲作だから定住型です。そこではどういうタイプがもてるかというと、おしろいを塗ったような色白のやさ男タイプが理想的な男性と思われているんですね。三波春夫って覚えていますか？　日本も稲作民族ですから、皆さんのひいおばあさんぐらいの年齢だと、三波春夫みたいな色白のやさ男がいちばんもてるタイプだったんですよ。

これだけ見ると好みはまったく違いますね。ところが、もう少し分析してみると、おそらく豊かな牧草を求めて部族ごとに移動しなくてはならない遊牧社会においては、俊敏で剛健な肉体を持っていて、決断力に富む精神を持つ男、こういう男に権力が集中していくんです。権力が集中するということは富も集中します。定住型の稲作民族では、ほかの農民を搾取することによって働かなくてもよくなった男、これが富と権力の象徴なんですよ。表面的にはまったく違うように見えながら、実は女って結構計算高いんですね。意識のうえではもうほんとうに惚《ほ》れたはれたで恋しているだけ。でも、潜在意識の奥の深いところで、もしかしたら計算しているのかもしれないですね。

光源氏の時代の色白の下膨れの男って、もう働かなくていい男の姿形ですよね。富の象徴ですね。だから、こういう男がもてたんです。

私の書いた本に『ヒトのオスは飼わないの?』というのがあるんですけれども、私、実は今、犬三匹と猫五匹と同居しています。いつも猫に囲まれているので、人間のオスより猫のメスとオスを観察していることが多いのですが、このメス猫というのが非常に好みがうるさいんです。計算しているかどうかは別にして、非常にシビアですね。いろいろなオスが近寄ってきても、嫌いなタイプだと嫌悪感丸出しで、ぎゃあぎゃあ言って追い返してしまう。これは大変残酷なもので、私はもうオスがかわいそうで見ていられないほどです。ところが、好みのオスがやってくると、自分のほうからいちゃいちゃすり寄っていくんですね。大体このオス猫は、人間から見てもいい男なんですよ。

異性を本能的に三分類

今、猫の話をしましたけれども、人間の女も、きわめて素直な天真爛漫《らんまん》な人は、この猫と同じような行動をとりますね。嫌な男には嫌悪感丸出しで、好みの男にはすり寄っていくというタイプ。普通の人は、やはり人間社会に生きている以上、それをあまり率直には出しません。ほんとうは心の中ではあれこれ思っていても、無難にだれとでも適当に対応します。適当にあいさつして、適当な人間関係をつくるんですけれども、率直に自分の心のほんとうの声を聞いてみると、私はあらゆる男を三種類に分けています。皆さんもたぶん、絶対そうだと思います。

第一のAのカテゴリー。ぜひ寝てみたい男。第二のBは、まあ、寝てもいいかなってタイプ。そして第三のC、絶対寝たくない男。金をもらっても嫌だ。絶対嫌だ（笑）。皆さん、笑ったけど、ほんとうはそうでしょう。大体みんな、お見合いのときって、それを考えるみたいですね。

男の人もたぶん、そうしていると思いますけれども、女の場合、厳しいんですね。Cがほとんど、私の場合も九〇％強。圧倒的多数の男とは寝たくないと思っています。おそらく、売春婦をしていたら破産します。大赤字ですね。

「フル」ジョワジーと「フラレ」タリアートのあいだの深い溝

今、私は五十五歳になっているからこんなことを平気で言いますが、若い頃は、心の中でこうやって分類しながらも、やはり、ああ、こんなふうに男を差別、選別していいのだろうか、いや、よくないな、と罪悪感を抱いて真剣に悩んだものです。

ご存じのように十八世紀末にフランス大革命というのがありますね。あれは身分制度を撤廃して、人間の法の前での平等を目指した、ブルジョア革命と言われます――ブルジョアというのは商人階級です。市民階級、商人階級。法の前での平等を目指したわけです。さらに一九一七年にロシアでプロレタリア革命――プロレタリアは労働者という意味ですね。社会主義革命が起こります。これは、人間が法的に平等だけでなく、経済的にも社会的にも平等であることを目指しました。残念ながら、失敗しましたけど。

しかし、あらゆる人間が社会的にも法的にも経済的にも平等である、そういう理想的な社会が訪れる日が万が一あったとしても、この性愛における不平等は残るのではないか？なぜかやたらもてる男と全然もてない男。性格が悪いのにもてる女と、すごく性格がいいのに全然もてない女、こういう理不尽な不平等は残るのではないか？だから、「フル」ジョワジーと「フラレ」タリアートのあいだの埋めるに埋められない深い溝、これはどうしても埋まらないのだろうか？なんとかならないのだろうかと、私は大いに悩んだわけです。

男女が惹かれ合う感情と人類存続のための営みとは表裏一体

悩むとやはりたくさん本を読みます。この分野の本を濫読しました。男と女が選び合うという現象は、今言ったさまざまな社会的要因もさることながら、人類という種《しゅ》が絶滅しないで続くこと、つまり種が維持されて進化していく——進化というのは環境に適応していくということですから、これも存続に必要なことです。存続していくために営々とずっと代々続いてきた営みの一環なのではないか、ということに気づいたんです。

例えば、『ロミオとジュリエット』という名作があります。十四歳か十五歳ぐらいかな。ロミオとジュリエットが恋をします。このジュリエットはロミオとセックスするんですけれども、別に子どもを産みたいわけじゃないんですよね。ロミオの子どもが欲しいと思ってセックスするのではなくて、愛しているからセックスするわけですけれども、この愛するというのは精神的な行動、心の動きというふうに思われるでしょう。ところが、実は生殖行為ともかかわっているんです。

今、セックスというのはどんどん快楽に傾いています。快楽に傾くんなら別に生殖行動をしなくてもいいのにと思いますが、わざわざ避妊までしてセックスするんですね。ホモセクシュアルっていますでしょう。子どもを産めないのに疑似生殖行為をします。だから、生殖という人類が存続していくための営みと、男と女が惹かれ合うという感情とは、実は根底でつながっているんです。

なぜ圧倒的多数の生物には人間も含めてオスとメスがいるのか？　われわれ人類になぜ男と女がいるのか？　もしお互い選ぶ必要がなくて、だれとセックスするのも同じであるならば、一つの個体の中に男女の両機能が具《そな》わっていてもいいわけですよね。そうすれば、わざわざ相手をふって、ふられて、傷つくこともないし、ふった自分は残酷な人間だなと思って自己嫌悪に陥ることもないわけです。

実際に生物界を広く見渡すと、セックスなどをしないで生殖している生き物がたくさんいます。アメーバみたいに、ただ細胞分裂してどんどん殖えていくのだって、たくさんいますでしょう。それから、オスなしでもちゃんと産卵して、卵からまたメスが生まれていく、単為生殖を繰り返す生物もいますね。さらに、精子の介入なしに卵子だけが勝手に分裂していって個体に成長するという生物もいます。

同じ個体が環境の変化によってオスになったりメスになったりする生物もいます。最近では人の幹細胞からクローン人間をつくっていく技術ができましたね。つまり、精子などなくても卵子さえあれば生殖というか、繁殖はできるんです。基本的には次の世代をどんどんつくっていけるんです。

『聖書』によると、マリア様は汚らわしいセックスなどせずに、神様から受胎告知というおふれを受けて、キリストをはらんで産んだということになっていますが、あれは実は誤訳だったのをご存じですか？　元のヘブライ語では単に「結婚しない女」という意味だったのを、ラテン語に訳すときに「処女」って訳しちゃったのね。

同じキリスト教の「創世記」最初の部分、いかにして神様が今の世の中をつくったかというところに、最初の人間アダムをつくって、そのアダムの肋骨《ろっこつ》（俗説では十三番目）からイヴをつくったという話が出てきますけれども、キリスト教世界の、ヨーロッパ系の言語では、「人間」を表す言葉が「男」を表すのと同じ言葉を使っている場合が多いですね。英語もそうでしょう。「ｍａｎ」、これは「男」という意味と「人間」という意味と両方あります。そして、「ｗｏｍａｎ」はなにか余計なものがくっついていて、だから人類の傍流みたいに思いがちだけれども、ずっとヨーロッパ文明で育っていると、どうも男が主流で女が傍流って感じになってくるのですが、ほんとうに純生物学的に見ると女が本流ですね。メスが本流です。人類も女が本流です。オスなしでも存続するんですね。だから、種の維持そのものにはオスは必要ない。男はなくてもなんとかやっていけるはずです。

オスの存在理由

では、なんでオスはいるのか？　なぜ男はいるのか？　なんでだと思いますか？　メスだけの生殖だと、子どもはメスの形質をそのまま受け継いだものになるんです。完全なコピーになるんです。コピー機でコピーすると、ほとんどまったくうり二つのものが出てくるけれども、コピーしたものをコピーして、またコピーしたものをコピーして、さらにコピーしたものをコピーして、ずっと繰り返していくと摩耗して見えなくなってくる。クローン人間も同じです。コピーだから、そう何度もつくれないのです。一度目のクローン人間からまたクローン人間をつくって、そのクローン人間、そのまたクローン人間、とつくっていくと、遺伝子のさまざまな情報がどんどん摩耗してしまってつくれなくなってしまいます。あるいは不完全なコピーになってしまうのです。

オスとメスの両性が参加する次の世代づくり、生殖だと、メス親とオス親の遺伝子をミックスします。遺伝子がミックスされてまったく新しい、メス親のコピーでもない、オス親のコピーでもない、まったく新しい形質の子どもが生まれるんです。だから、人類の存続そのもののためには男は必要ないんだけれども、人類が進化していく、変化していくためには男が必要なわけです。退化するためにいるような人もいますけどね（笑）。

男はサンプルだ！

若い頃、私はこの関係ばかりにやたら異常に興味を持っていました。一九六〇年代に旧ソ連アルメニアのゲオダキャンという人物――この人は理論生物学者ですが、当時はまだ工学博士でした――この博士が男はサンプルだという論陣を張って雑誌に発表しました。私はそれを読んだとたん、この説にとても興味を持ち、博士の書いた本をたくさん読みました。ほとんどだれにも注目されなかった説ですけれども、私は大いに関心を持ちました。

ここで、その博士の説を紹介しましょう。

例えば、百頭の水牛を飼える牧場があったとする。皆さん、牧場主になったつもりになってくださいね。そのときにオスを何頭飼い、メスを何頭飼うか？

子牛がたくさん生まれるようにしたいとしたらどうしますか？　メス九十九頭にしてオ

ス一頭にしますね。そうすると、九十九×一で九十九頭の次の世代の子どもが生まれます。これが量的には最大限です。メスの数に比例して子どもの数が生まれますから。ただし、父方の遺伝形質は一種類しかないから、母親が違うことによって異なる形質の子どもが生まれます。九十九通りで九十九頭。メスの数に等しい。

一方、生まれてくる子牛の多様性、これを最大限追求するとしたら、オス五十頭、メス五十頭にします。五十×五十で二千五百通りの可能性が生まれますけれども、二千五百頭は生まれませんね。メスの数五十頭に等しい五十頭の次の世代の子牛ができます。これは一世代についてです。

メスは量を担いながら質を追求する、オスは量を追求しながら質を担う

では、子牛の質を優秀にしたいとき、どうすればいいでしょうか？　牧場主は量だけを追求していて、オスは一頭だけでずっと育てていくと、病気が流行ったり、天変地異が起きたりするとばーっといっぺんに死んでしまったりする。そこで、優秀で強い牛をつくらなくてはいけないというときは、牧場主はオスを九十九頭にしてメスを一頭にするんです。

そうすると、オスのあいだにすごい競争が生じます。遺伝形質を次の世代に伝達できるのは九十九頭のオスのうちの一頭だけだからです。メスの厳しい選択眼も働きますしね。一頭しか伝えられないけれども、この競争を勝ち抜いていくから、すごく優秀な子どもが生まれるわけです。よりすぐれたオスが選ばれて、よりすぐれた子牛ができるという計算です。

先ほどABCに男を分類するという話をしましたけれども、たぶん男の人もやってると思いますよ、ABCかABCDかABCDEか。でも、女のほうが男を見る目は厳しいの。時々、甘い人もいるけれども大体厳しいですね。女が男を見る目のほうが厳しいのはなぜなのか。自分がおなかを痛めて産んで、ある程度まで育てるから、絶対に健康で強い子が欲しいのです。女は優秀な子が欲しいんですね。だから、相手を選ぶときの質の追求は女のほうがすごいんですよ。

ところが、これは男次第で女の運命が左右される社会が続いたせいかもしれないのです。社会的な影響も絡まり合っていると思いますけれども、とにかくメスのほうが多いと次の世代が量的に多くなり、オスが多いと次の世代の質的変化の幅が大きくなるわけです。オスはなるべく多くのメスと交わって、次の世代に自分の遺伝子を継承する個体の量を多くしようとします。メスは逆ですから、なるべく優秀なオスを見つけて優秀なオスと交わろうとします。ですから、ある意味では次の世代づくりにおいて分業しているんですね。オスは量を追求していながら、自分は質の担い手なんです。変化の、質の担い手です。メスは量を担っています。量を担っていながら、質を追求しているんです。実に見事に分業しているわけです。

これは男の浮気性の論拠にされそうですが、純生物的に言っているのであって、人間は社会的動物だから、必ずしもこれだけで決まるわけではないですよ。でも、そういう男女の役割が根底にあります。

世界的ベストセラーはドンファンが主人公

この問題にちょうど興味を持った頃、私はもう一つ、不思議なことに気づきました。世界的ベストセラーとなった物語、これは世界中の人々に民族を超えて、国を超えて愛され、そして何世代にもわたって語り継がれてきたような物語です。こういう物語は決まって同じパターンを踏んでいるんです。それはどういうパターンかと言うと、主人公の男が多数の女を遍歴していく。女漁《あさ》りしていく。いろいろな女とセックスしていくという話が圧倒的に多いんです。世界最古の小説『源氏物語』がまさにその典型でしょう。そして、「ドンファン伝説」つまり「ドンジュアン伝説」。スペイン語だとJの音はフって発音するからドンファンになります。「ドンファン伝説」は世界で約二百の小説や戯曲や詩になっている世界的なベストセラーですね。ベストセラーどころか、商業化される前から愛されていた物語です。それから、『カサノヴァ回想録』。これも女性遍歴の物語。日本の江戸時代が生んだ井原西鶴というすごい小説家というか、浮世草子作者がいます。この人の『好色一代男』もそうですね。いまだに読み継がれて、繰り返し舞台や映画になっています。

どれも基本的には、多くの女と交わりたいという男の手前勝手な夢を描いています。実際にそれができる男っていうのはほとんどいないですけどね。だから、女の側から読むと、私などやたら不愉快になるんです。若い頃は、図書館でこういう作品を読んで、まったくなんだ、これは！　と不愉快になったものです。でも、不思議なことに『源氏物語』を書いたのは紫式部という女性です。その現代語訳をなし遂げているのは日本を代表する女流作家たちです。私が読んだのは与謝野晶子訳ですが、ほかにも円地文子、瀬戸内寂聴、田辺聖子といった、錚々《そうそう》たる顔ぶれです。

実際、『源氏物語』を読んでいくと、前半はずっと光源氏が女漁りしていて、後半に、中年以降、年をとってから、女漁りをした過去に復讐《ふくしゅう》されるという物語ですから、最後に溜飲を下げるような話にはなっていますが、それでも前半は女漁りの話です。それにもかかわらず、この作品は、圧倒的に女に人気があるんです。日本各地で、いまだに『源氏物語』講座というのが開かれています。

ちょっと悔しいので、古今東西で圧倒的人気を誇る物語を見回してみると、今、言いましたように女漁りをする男が主人公の物語は世界的ベストセラーになっている。そういう物語はいっぱいあるのに、逆に、女が男を漁る物語はあまりベストセラーになっていないんです。

例えば、西鶴に『好色一代女』という作品があります。読みましたか？ でも、遍歴する異性の数では圧倒的に『好色一代男』に負けています。非常にこぢんまりとまとまって説教臭い。『好色一代男』みたいなはちゃめちゃなところがちょっと足りない。これは西鶴が男だというせいもあるけれども、主な理由に封建時代という時代背景があるのかもしれません。なるべく多くのメスとセックスして、おのれの遺伝子を残すことを至上命題とする、男という「産めない性」と、なるべく優秀なオスとセックスして質の高い子孫を残したいと思う、女の「産む性」との、本質的相違が出てきているのではないかと思うわけです。

女主人公の理想の男はただ一人

女が主人公である世界的名作の物語。これを皆さん、思い出してください。『かえるの王子』にせよ『竹取物語』にせよ、女の幸せのパターンというのはお姫様という形に出てきますが、お姫様にはたくさんの選択肢があるというのが幸せなんですね。お姫様の婿選びのために、国中から若者たちを集めて技比《わざ》べをさせます。その中でいちばん優秀な技比べの勝者とお姫様が結婚するという物語が、圧倒的に多いのです。つまり、国中から男を集めて、若者を集めて……結局、一人を選びます。女を集めてすべてとセックスするという展開が、男が主人公の物語になるんですけれど、女が主人公の場合、そこで技比べをさせて、いちばん優秀な男と結婚するという形になっているわけです。

現代の小説も、実は昔の物語からたくさん養分をとって発展してきていますから、詳しく読んでいくと、昔の物語のパターンを踏んでいるんです。皆さんもよくご存じの『風と共に去りぬ』という名作がありますね。この作品の主人公、スカーレット・オハラ。彼女は勝ち気な女性で、二度も結婚するけれども、心に抱く理想の男はたった一人なのです。彼女はたった一人の男を理想とするパターンが、物語にはとても多いんです。これは、とても偶然とは思えません。世界の物語、世界中に、民族を超えて語り継がれている物語には、それがはっきり出ています。

環境の激変期や有事に跳ね上がる男児出生率

話を変えますと、人間を含むほとんどの生物は、もともとメスに比べてオスのほうがたくさん生まれてたくさん死にます。出生率、死亡率ともにオスのほうが高いんです。この事実は、サンプル説にぴったりでしょう。例えば、猛暑とか極寒とか、飢饉《ききん》とか旱魃《かんばつ》とか病原菌の蔓延とか、そういう気候の激変、体に有毒な影響、社会的激動期もありますね、戦乱とかクーデターとか。こういったときに、男の死亡率がすごく高いんです。女も死ぬけれども、男がよりたくさん死にます。一方で、そのようにたくさん男が死ぬとき、男児出生率が急に跳ね上がるんです。そして、しばらくして安定してくると、女児の出生率が高くなるんです。

「最近、男児の出生率が下がった。これは環境ホルモンの関係か」——このような「読売新聞」の記事がありますけれども、二十世紀初めから上昇しつづけてきたわが国の男児出生率が、一九七〇年を境に、少しずつですが減少傾向に転じたそうです。一九〇〇年以降の男児の出生率を五年ごとの平均値の推移で比較すると、一九〇〇年から一九〇五年には男児の出生率は五〇・七%だった。その後、上昇しつづけて、一九七〇年には五一・七%となった。その後、下降傾向をたどり、九五年には五一・三%になった。

ところで、気づきましたか？　男児の出生率はどんなに低くても常に五〇%以上なんです。これは世界中、どの民族でも同じです。統計結果が出ているところでないとわかりませんから限定されてはいますが、どこの国ももともと男児のほうがたくさん生まれるんです。一方で、そのように（赤ちゃんから大人を含めた）男の死亡率は、男児とは限らないですね。なにか環境の激変があると、男の死亡率のほうが高いのです。たくさん男が死ぬときに、男児の出生率がぴゅんと跳ね上がるのね。

ここにある資料は第一次世界大戦前後の男児の出生率を示すグラフです。これは当時、ちゃんと統計がとれた国、ドイツとイギリスとフランスを比較しています。女児を一〇〇とした場合の男児の数値で、いちばん下の線が男女児同数の五〇％ラインです。第一次世界大戦は一九一四年から一八年で、一九一五年のあたりを見ると、男児の出生率が急に上がっています。イギリスもぴゅん、フランスもぴゅんと上がっています。つまり、なにか環境上の激変が起こったときに、男児の出生率が上がるんです。

第二次世界大戦、日本にとっては太平洋戦争が終わったときに、男は大体兵隊にとられてたくさん死にましたね。二百五十万人死んだと言われています。このとき、トラック一杯の女に男一人と言われたぐらい、男が激減しました。適齢期の男がたくさん死んだからです。その後、たくさん子どもが生まれます。そのときに男児出生率がぴゅんと上がるんですね。

ソ連の場合には、第二次世界大戦で、兵隊にとられた適齢期の男が千五百万人死にまし

第1次世界大戦前後の男児出生率

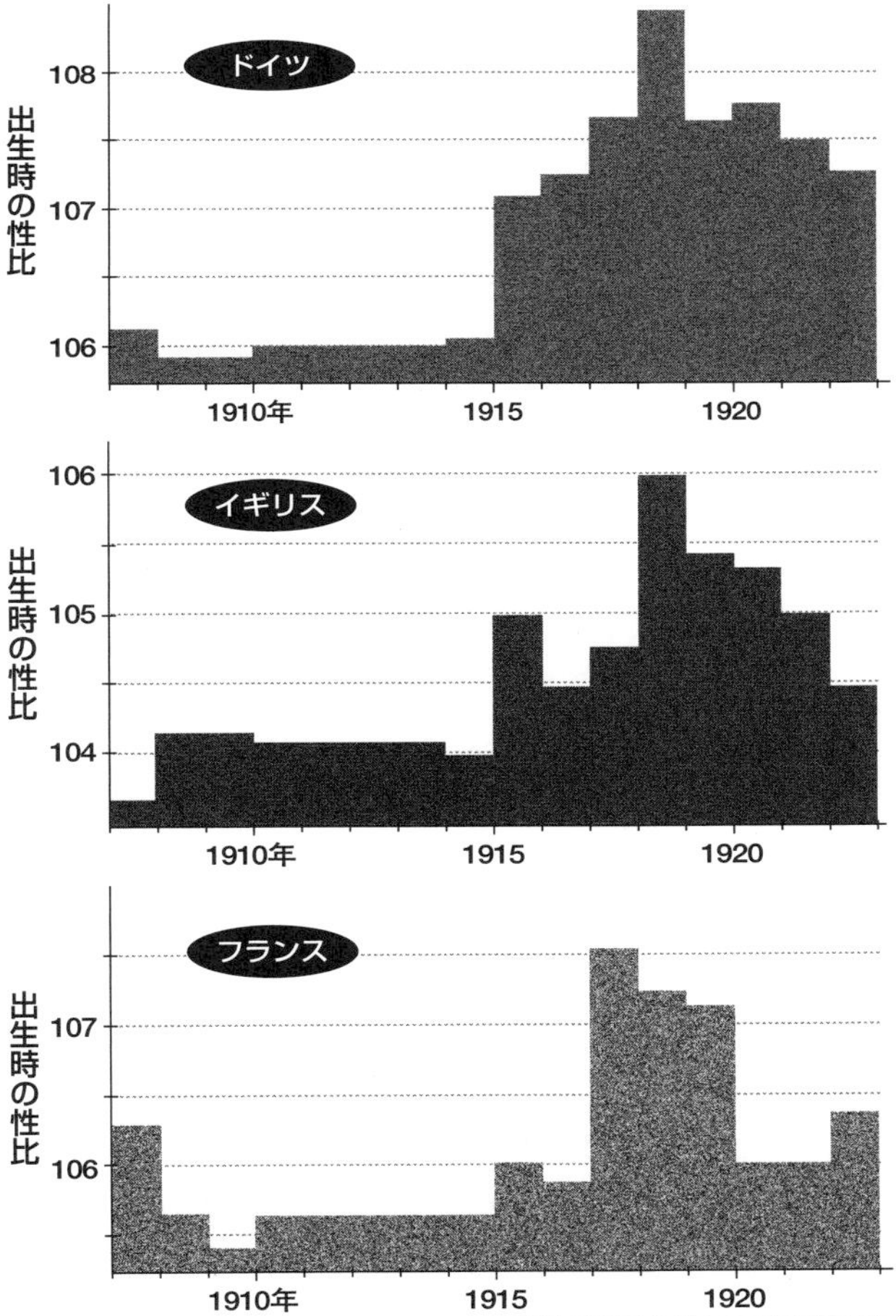

雑誌「科学と生活」1965年1月号より

た。同じ年齢の男で二、三％しか生き残れなかったぐらい、たくさん死んでいます。そうすると、やはり戦後、ベビーブームがあって、そのときにやたら男児が多かったそうです。ゴルバチョフ夫人のライサさんの伝記を読んでいたら、そういう話が出てきました。これは私のテーマなので、すぐ、そこに線を引きました。ライサさんは少女時代、シベリアに住んでいたんですが、隣のAさんのところも男の子、斜向《はす》かいのBさんのところも男の子、生まれてくるのがなぜか男の子ばかりと不思議がられるほど、男児出生率が異常に高かったと書いていています。

アメリカが北爆を行っていた頃、つまりベトナム戦争の頃、インドシナの、ほかのラオスとかカンボジアにも戦火が拡大していきました。そこでカンボジアにポル・ポト政権という悪魔のような政権が生まれます。ポル・ポトは自国民を三百万から六百万人殺したと言われていますが、このポル・ポト政権が倒されて平和が戻ったところに、国連の人道支援機関とか、あるいは特派員なんかが真っ先に行きますね。そのときのレポートを読むと、やはり虐殺の後、ものすごく出生率が上がっています。子どもがうじゃうじゃいる。中でも男の子の割合が多いので、みんな驚いています。そういう報告があります。

生き延びて伝えるサンプルの使命

つまり、オスが環境の激変のあったときにたくさん死んで、たくさん生まれるということはどういうことか。これがサンプル説の論拠なんですね。つまり、人類は種として生き延びなくてはいけない。生き延びるために適応できるタイプかどうか。適応できないタイプは死んでしまって遺伝形質を伝えられない。生き延びたタイプだけが遺伝形質を伝えられるということです。生き延びられるか、生き延びられないかを選び出すためのサンプルとして男がいるんです。人類が単に繁殖していくだけなら女だけでやっていける。でも、環境の激変があったときのためにサンプルが必要である。そういう考え方ですね。だから、環境に適さない男は絶滅するか、女に選択されないという形で、次の世代に形質を伝えられなくなるわけです。

では、その環境の変化はどのように母体に伝わるのだろうかと不思議に思いませんか？ 今、いろいろな研究者がそれを追究しているんですよ。雅子さまはほんとうは男の子が欲しかったようなのに、女の子が生まれたでしょう。どうやったら産み分けられるかという研究をしたところ、どうも栄養過多の場合、つまり、栄養がいいと女の子が生まれるらしい。世の中安定すると栄養が安定しますからね。逆に、栄養が行き届かないと男の子が生まれるそうです。その栄養素の割合はたんぱく質が関係しているとか言われていますが、まだ決定的なことはわかりません。

サンプルという見方に則して、女の子の皆さんは自分の周りの男の子のことを思い出してください、見回してみてください。男の子たちは自分をサンプルとしてちょっと見直してみてください。そうすると、例えば、周りでいちばん背の低い男の子といちばん背の高い男の子のあいだの身長差、いちばん背の低い女の子といちばん背の高い女の子の身長差、こういった差はきっと、男の子のほうが大きいと思います。それから、いちばん体重の多い人と少ない人の差。この差もたぶん、ほぼ男女同数の場合には、男のほうが幅が広い。つまり多様性があるんですね。

また、世界一背の高い人とか、世界一低い人とか、世界一体重の多い人とか、こういった人たちはほとんど男ですね。マニアとかおたくとか、さらに性格異常者とか異常な犯罪を犯す人などは圧倒的に男が多いんです。これはおそらくサンプルとして幅が広いからでしょう。サンプルであるならば、なるべくいろいろなタイプがいたほうがいいわけです。人類は環境の激変で、いつどうなるかわかりません。もし、みんな同じタイプだったら、同じ条件で全員が滅びてしまうでしょう。でも、生き延びなくてはいけないから、保険と同じようにいろいろなタイプがいるわけです。容貌《ようぼう》もたぶん、女の子のほうがより安定して一様ですね。つまり、女の子のほうが強い。

これは、もっと狭く社会的に考えると、男はより社会的に多様な生き方が許されたのに対して、女は出産と子育てと家事と家内労働というように、女のほうが男に比べると、かなり狭い枠組みの生き方を強いられてきたので、それが原因で一様になったという考え方もできます。『第二の性』を書いたフランスのボーヴォワールなども、大体そういう考え方ですよね。ウーマン・リブ系の人はそう考えたりします。

オスは進化を先取り

われわれ個々のレベルではバラバラで、この人がいいとか悪いとか思っているけれども、お互い相手を選ぶときに、例えば、恋に落ちるって感じがありますね。そのときのことを、完全に理屈では説明できないでしょう？　この人は頭がよくて親切で、私にもやさしいから好きになる、そうではないですね。性格にはいろいろ欠陥があるけれど、どうしてもこの人がいいとか思ったりするじゃないですか。恋というのはなにかこちらの意志ではないところで決まっていくようなところがあります。

つまり、個々人はバラバラに好きになったり嫌いになったりするけれども、全体としては人類を維持していく、絶滅させないという種の意志が働いているのではないかと思うことがあります。だから、オスというサンプルに示されるさまざまな形質のうち、環境やメスによる選択の結果、次の世代に継承され、つまり環境適応的であると種全体の意志として認められた形質、言ってみれば、安定した安全な形質が、種の本流である女のほうになっていくのではないか。そして、女のほうがより安定した、より一様な形質を持っているのではないかと思うわけです。

例えば、「ノミの夫婦」という表現がありますね。ノミはご存じのようにオスのほうがメスより小さいのです。それで、ノミが時系列的にどういうふうにサイズが変わってきたかという——こういうことを研究する学者もいるんですよ。世の中、おもしろいですね。

――遺跡やいろいろなものを見て考察するのです。そうすると、ノミはどんどんサイズが小さくなっています。ノミの種の意志として、やはり絶滅しないことを至上命題としていますから、ノミが生き延びていくためには、小粒であればあるほど有利だと判断してるのだと思います。つまり、オスの平均とメスの平均とを比べて、オスの平均のほうがメスの平均より小さい。この差がある意味では、オスのほうが進化の行く先を先取りしている形になるわけです。だから、人類は今のところ、どの民族を見回しても、男の平均身長のほうが女の平均身長より高いですね。成長期はちょっとジグザグしているけれども、皆さんの周りでもそうでしょう。

人類全体の今の流れを見ると、人間は大型化しています。つまり、男の平均と女の平均の差を見たときに、その差が男のほうに向かって進化しているということが言えるかもしれません。だから今のところ、人間の社会では背の高い男がもてるんです。でも、たぶん人類が小型化していくようになったときには、背の低い男のほうがもてるようになっていくんだと思います。

今でも、全体の傾向として背が高い男がもてても、背の低い男を好きになる、自分より背の低い男を好きになる女もいるし、自分より背の高い女を好きになる男もいると思います。これも必要なのです。さっき言ったように、みんな同じになると、ある激変が起こったときに、みんな一緒に滅びてしまうからです。だれかしら生き延びれば、絶対に人類は続いていきますから、そういう観点からすると、みんなと違った好み、好みの偏在というのは必ずあるわけです。これは保険みたいなものですね。

というわけで、次の世代をつくるにあたって、オスは質を担いながら量を追求する、メスは量を担いながら質を追求する、という分業をしてきたんですけれども、今の話から言い換えると、進化の過程で人類という種が蓄えた遺伝形質を、メスは現状維持の方向に、つまり、保守的な方向に働き、オスは現状を変える方向に働いているということができます。つまり、環境の激変という情報をオスはうまく適用できずに、より早く滅びるんですね。滅びるという形で伝えるわけです。生き残るという形で、生き残ったものが、その情報を伝えるわけですね。

先ほどもオスが進化を先取りしているという話をしましたけれども、同じ種に属していますから、男も女も同じ共通点を持っています。頭は一つずつあるし、鼻も一つだし、鼻の穴は大体二つですね。手は二つ、足は二本とか。それでも、差がありますね。生殖器なんて違うでしょう。身長とかを平均した場合に、共通するけれども差があるものがありますね、この共通しているけれども差があるものを見ていくと、その進化の方向がわかるという話を先ほどしたのです。つまり、メスは遺伝形質の保守と維持を果たし、種の過去を代表しています。オスは遺伝形質に環境の変化に応じた刷新を持ち込む役割を担っているから、つまり、未来を代表することになるのですが、だからこそ、さまざまな変化の特徴はより男のほうに顕著にあらわれるわけです。環境の悪条件下で真っ先に死ぬのはオスです。

寿命が延びるのは多くの情報を伝えるため

今、人類は寿命が延びています。どんどん寿命が延びている。原始時代、旧石器時代、新石器時代では、寿命は大体二十歳ぐらいまででしたものね。今は、百歳まで生きる人もいます。日本は世界でも長寿国です。

つまり寿命は延びていて、大体、先進国のどこを見ても男より女のほうが寿命が長いんです。あれ、進化の先取りは男がやっているんではなかったのかい？　と異議を唱えられそうですね。そうなると、「男はサンプルだ」という説は、寿命だけで見ると、これだけで破綻《はたん》してしまうんですけれども。

寿命についてご存じですか？　より体積が大きくて、高等な動物ほど長生きなんですよ。ハツカネズミは受胎から誕生まで二十日かかる。短いですね。受胎から生まれるまでゾウは六百六十日かかるんです。人間だと約九カ月ですね。だから、サイズによって命の長さは違うんです。昆虫などは短いですよね。一日で死んでしまうのもいます。時間単位、秒単位の命のものもいるし、大体哺乳《ほにゅう》類だと十年から二十年、生きます。

高等であるほどなぜ長生きするかわかりますか？　高等である動物の定義というのは非常に難しいのですが、体重に占める脳の重さの割合が高ければ高いほど、一応、高等ということになっています。なぜ高等だと長生きするかと言うと、高等であればあるほど親の世代から子の世代に伝えることが多いからなんです。人間なんて生まれた後までいろいろ伝えなくちゃいけないものだから、皆さん、まだ勉強してるでしょう。

つまり、生物が続くというのは、単に肉体として続くだけではなくて、それまで蓄えたさまざまな情報を次の世代にどんどん伝えていかなくてはならないからです。これは一つの説ですけれども、高等であるということは、それを伝えるのに時間がかかるんです。だから長生きなんです。

四期間別、男女の寿命

寿命の話に戻りますと、寿命については、女のほうが長生きである。女に比べると男は短命である。それなのに、人類全体は今、長寿化に向かっている。これをどう解釈するかということになります。実は寿命というときに、われわれは大事なことを忘れています。

誕生から死までが一生と言われますが、その前があります。精子が卵子に命中する受胎です。それから誕生を経て、生殖能力が具わり失われるまで、そして死に至る——大きく分けて、この四つの期間があります。

第一期は誕生前、受胎から誕生するまでの期間です。ハツカネズミは二十日間、ゾウは六百六十日、人間は約九カ月。第二期は誕生から性的成熟に達するまでの期間です。要するに、繁殖能力を持つ、親になる能力を持つまでの期間です。第三期は再生産期間。これは繁殖能力を発揮する期間ですね。第四期は老化する肉体が子どもを生産する能力を失ってから死に至るまでの期間。男女の寿命を比べる場合、この四つの期間をそれぞれ比べなくてはならないんです。

まず第一期を見てみましょう。男児が女児よりも母親の胎内で過ごす時間が長いことはよく知られています。だから、受胎日が同じだった場合には、男児のほうが二週間から三週間、出産日が遅いんです。つまり、この第一期においては、男児のほうが寿命が長い。生まれたての赤ん坊を見ても、女児のほうが早く生まれているのに体つきも動きも発達しています。これはX線検査をしてみるとよくわかって、骨格や骨の繊維などを見ても女児のほうが成熟しているのだそうです。女の子のほうが産みやすくて育てやすいと、よく言われますが、こうした言い伝えには民衆の知恵が詰まっています。今まで蓄えられた情報の宝庫なんですね。実際、第一期は男のほうが寿命が長いんです。

次に第二期。女子のほうが歩きはじめるのも喋り出すのも性的成熟に達するのも男子よりは早い。大体小学校高学年から中学校にかけて、女の子は同級生の男の子がガキに見えてしかたなかったってこと、ありませんでしたか。今でもそうかな（笑）。ガキに見えませんか？　あれ、見えるんじゃなくてほんとうにガキなんですよ。性的成熟に達するのは女のほうが男より早いんです。

つまり、第二期の寿命も女のほうが短くて男のほうが長いんです。大体、女子のほうが男子より二、三年早く性的成熟に達します。だから、日本の法律によると女子は十六歳になれば親の許可さえあれば結婚してもいいことになっています。男は十六歳ではまだ結婚しちゃだめなのです。十八歳にならないとできない。二十歳になったらだれでももう自分の意思で結婚できますけどね。これは男女差別だと私、昔は思っていたんですが、そうではないんです。女のほうが先に生物的に成熟するからなのです。だから、第二期の寿命も女のほうが短い。男のほうが長いんです。この一期、二期、いずれも成長期ですけれども、男のほうが女より時間がかかる。寿命が長い。

第三期はさらに長くなるんですよ。女性の繁殖可能期間は大体生理が始まってから終わるまで、三十年から四十年間です。およそ四十五歳から五十五歳で完了します。ところが、男はそれよりも長いですよね。十年から二十年長い。六十歳から七十歳、中には九十歳になっても子どもを産ませられる男の人がいます。つまり第一期、二期、三期、いずれの寿命も男のほうが長いのです。なのに、なぜか第四期だけ、恐ろしく女のほうが長いのです。もう長くて長くて、四つの寿命を全部足すと女のほうが上回ってしまうぐらいです。日本人の女の平均寿命は今、大体八十六歳ですか？　男が七十九歳？　それぐらい女の第四期は長いんです。先進国になればなるほど、この傾向が強いです。

進化のプロセスを見ると、女の第一、第二、第三の寿命も延びる傾向にありますが、第三期までの寿命を見てみると、男のほうが長く女のほうが短い。今の人類の寿命は、この第三期までの寿命が延びる方向で、つまり男を後追いする形で進化しているんです。

人類の使命から解放されて、楽しい人生の本番

第四期について見ると、男は第四期とは無縁なんですね。第三期、つまり繁殖能力を失ってしまうと同時に寿命も尽きるというのが男の一生なんです。ある意味で男の存在価値そのものが性生活にあるんです。なぜならば、人類の本流である女に環境に関する情報を伝えることが使命なはずだからです。それゆえに、勃起能力とか性の能力を上げることに、男の人は血道を上げるのです。バイアグラとか、高い薬を買ったりして。あれはなんて嫌

らしいんだろう、なんてばかなんだろうって、私は一時期そう思っていたんですけれど、考えてみれば、男という産めない性は、女との関係において人類としての使命を全うするという宿命を背負っているんですね。だから、ある意味ではしょうがないのではないかと思います。つまり第三期を終えると、第四期が非常に短いということを考えると、今では男が非常に哀れなのではないかとさえ思っております。

　第四期の女の寿命はすごく長いですね。長いということは、つまり女を卒業してから、男との関係性がなくても長いのです。これは女が人類の本流であるということを、非常に雄弁に物語っています。昔、お褥滑《しとねすべ》り［貴人の妻妾が、ある程度の年齢になって、その貴人と床をともにすることを辞退すること］とか言って、女を卒業したらもう人生おしまいみたいに考えられてたのが、実は逆なんですね。本流だからこそ、これからが本番という感じです。

というわけで、私ももう第四期なんですけれども、男との関係性から解放されて、次の世代をつくるという人類の使命から解放されて自由になったとき、人として非常に楽しく生きるべきなのではないか、それが使命でもあるのではないかとさえ思っています。

なお、私はもちろん生物学者ではないので、今まで述べたことはあくまでもすべて仮説です。これがほんとうに正しい説なのかどうかは、皆さんが自分で本を読んだり調べたりして確かめてください。

第二章　国際化とグローバリゼーションのあいだ

「国際」は国と国とのあいだ

国際化、国際化と、私は、日本人は最近、国際化という病気にかかっているのではないかと思っています。例えば、日本のテレビとか新聞を見ますと、ほぼ毎日、「国際化」という言葉が出てこない日はないくらいです。不思議なことに、日本人は「国際」とか「世界」という言葉が出てくると、なんとなく平常心を失う、心が高揚する。つまり、国際的なこと、世界、これらは日本においていつもニュースになるんです。ニュースというのは日常ではないこと、つまり、非日常です。「褻《け》」と「晴れ」に分けると「晴れ」なわけです。

では、この国際化とはいったいなんなのか？　まず、「国際」という言葉を見てみましょう。日本語で「国際」の「国」は国ですけれども、「際」はあいだという意味です。英語で「国際的」と言うとき、インターナショナルと言いますね。「インター」というのは「際」にあたる言葉です。高校生のあいだで行う競技や会議のことを指す、インターハイという言葉もよく耳にすると思います。インターハイスクールの略ですから、「インター」

というのはあいだという意味です。インターナショナルとは、「ナショナル」が民族とか国とかいう意味ですから、国と国とのあいだという意味です。国際もインターナショナルも、国と国とのあいだという意味が元になっています。

実は世界の圧倒的多数の国々は大陸にあるので、みんな地続きです。地続きであるということは、国と国とのあいだ、国と国との交流が日常茶飯なんです。日常であって、非日常ではないのです。ところが、日本の場合は、実に長い長いあいだ、ベルリンの壁よりも分厚くて背の高い壁に囲まれていた。海水という天然の国境に囲まれていましたから、国際が非日常なのです。

ドーヴァー海峡というのがあります。イギリスも島国ですから、海水に囲まれています。でも、ドーヴァー海峡というのは日本海に比べるとはるかに狭い。あそこを泳いで渡った人がいますが、日本海を泳いで渡った人はいないでしょう？　昔、遣唐使などは命がけでした。大陸に着けないかもしれない。着けたとしても、向こうからもう日本には帰ってこられないかもしれない。そのぐらい命がけで日本海を越えて、より進んだ文化を求めて渡っていったんです。つまり、日本海とドーヴァー海峡は、深さにおいても、広さにおいてもかなり違う。日本人にとって、国際、ほかの国とのあいだというか、ほかの国との交流というのは、常に思いきり非日常だったわけです。

国を成立させる要素

今、国と国とのあいだと言いましたけれども、では、国とはどういうものか？

まず国というと、一定の国土、土地があります。単にそこに住む人たちがいれば国かというと、そうでもない。その国土に住む人たちが共通の文化、それからその文化の中心である言葉とか、宗教とかそういったものを共通して持っている。さらに、その共通した文化と言葉でもってつながる人々を束ねる国家のようなもの、政府というようなもの、がある。それを、国家、国というふうに私たちは大体見ています。

でも、政府とかそういうものはどんどん変わっていきますから、国を成立させるために必要なものとして、まず国土と、それから文化と言葉が重要ですが、これらの要素が必ずしも全部整っていなくても、一つの国のようなものをかたちづくっている場合があります。

例えば、イスラエルという国があります。イスラエルの民族はユダヤ人ですけれども、ユダヤ人の場合、圧倒的多数のユダヤ人はイスラエルに住んでいません。住んでいないのに、ユダヤ人として統一感を持っているわけです。国土を持たないで、一つの共同体のようなものができている。圧倒的多数のユダヤ人は国土を持たないけれども、しかしながら、民族としては成り立っています。

こういう場合には、国土以外の要素――言葉と文化、これがものすごく強くなる、これに対する思い入れが強くなる。結局、国土がない分、言葉と文化、これでつながるしかないわけですから、そうすると、時にはそれが非常に排他的になったりします。つまり、物理的に国境がない、国土がないと、心の中に国境を持つわけです。

ところが日本は逆なのです。日本のように国土があって、それが非常に堅牢な天然の国境に囲まれている。そうすると、国土という意識をあまり持たなくていいのです。天然の国境が意識しなくても常に守ってくれるから、心の中にも国境を持たなくてもいい。そういう日本人にとって、国際、つまり、ほかの国あるいはほかの文化との出会いというのは、先ほど言ったように、思いきり非日常的なことになるわけです。

現実はすでに国際化している日本

非日常的と言ってきましたけれども、現実にはそうではないですね。もうすでに国際的なつきあいと言いますか、ほかの国との交流はどんどん日常的になってきています。

ところが一方で、われわれは長い歴史の中で、伝統的に、国際的なことというのは非日常であったという慣性の法則――ほかから力が加わらない限り、現在の状態を保とうとする性質です。この慣性の法則というのが、まだわれわれの意識の中にあるんです。心の中にも、行動様式にもこれがまだ生きていますから、現実的にはもう国際的になっている、それが日常茶飯になっているのに、もう一方では、伝統的な心のほうはまだ非国際的なままでいる状態なのです。

国際的になってきたことの第一の要因は、まず交通手段とか運搬手段などがものすごい勢いで発達してきたからです。わざわざ命がけで泳いで海を渡らなくても、飛行機で一飛びで外国に行けます。国境という垣根はどんどん低くなっています。それから、通信手段が発達していますから、地球の裏側の出来事でも、もう数秒後にはテレビ中継でも伝わるし、インターネットでも伝わってくる。一瞬にして届くわけです。

さらには、ヨーロッパではつい十年ぐらい前に社会主義体制が崩壊しましたから、体制の壁、これもなくなりました。ですから、多国籍の会社がなにか資源を調達するというときにも、国境はどんどんなくなってきています。

今、円は安くなっている、日本の経済不況が続いていて円貨の調子が悪いと言われていますけれども、それでも国際的に見れば、かなりレベルは高い、つまり円はまだ高くて、強いわけです。そうすると、日本に安い労働力がどんどん入ってきます。外国人が日本列島に押し寄せてきます。そういう意味でも、現実にはすでに日本は国際化しているわけです。ほかの国とのつきあいが増えているのです。

海はもう国境の役割を果たしていないし、国際化は非日常ではなく、日常になっているんだけれども、実際には、日本のニュースを見ると、あるいは日本人一般が世界とか国際という言葉を聞くと、ちょっと興奮するんです。外国のお客さんが来ると、隣の県の人が来たときよりもなんとなく興奮するでしょう？　そうでもないですか（笑）。どうしても、日常の延長だというふうには考えにくくなっています。

インターナショナリゼーションとは？

日常的なものではないと、つい平常心を失いがちですが、ちょっと落ち着いて「国際」とか「国際化」ということを考えてみたいと思います。「国際化」という言葉の中に、私たちはいろいろな概念をごちゃごちゃにして放り込んでいる面があると思います。日本語では「国際的」と言うときと「国際化」と言うときに、同じ「国際」という言葉を使っていますけれども、英語にしたときには、「国際的」には、インターナショナルという言葉を使います。

「国際化」と言うときに、インターナショナリゼーションと言うかというと、言わないんです。では、この言葉は使わないのかというと、そんなことはありません。インターナショナリゼーションと辞書を引くと、ちゃんと載っています。でも、国際化という意味ではないんです。インターナショナリゼーションというのは、国際共同統治下という意味です。

例えば、パナマ運河をご存じですか。南北のアメリカのあいだをつなぐ細いところがあるでしょう。そこがパナマという国です。そこにパナマ運河というのが通って、太平洋とカリブ海（大西洋）という二つの大洋をつなぐ場所ですから、そこの利権を握るということは大変重要な意味を持っているわけです。このパナマ運河を一国ではなくて、国際共同統治下に置く、国際共同管理をするというときに、インターナショナリゼーションという言葉を使うわけです。

第二次世界大戦が終わったときに、日本は連合国――連合国はたしか九カ国あったと思います。アメリカ、ソ連とか、フランスや中国など、九カ国でした。連合国の統治下に置かれたんです。国際統治管理下に置かれた。ドイツもそうです。こういうときにインターナショナリゼーションという言葉を使うわけです。

「国際的」はインターナショナル、では「国際化」は？

われわれがよく言う「国際化」という言葉はどう訳すかというと、辞書を見るとおわかりのように、グローバリゼーションあるいはグローバライゼーションと訳しています。

われわれ日本人が「国際化」と言うときに、それはどういう意味で使っていますか？どうも日本の商習慣や、行政のあり方など、なにもかも非常に特殊な国である日本は、国際社会とはちょっと違う。だから、われわれの習慣を国際社会の習慣に合わせなくてはいけない。国際化と言うときには、国際習慣に合わせる――グローバルスタンダードとよく言われる世界標準に合わせることが国際化だと、そういう意味で、われわれ日本人は国際化という言葉を使っているわけです。

グローバリゼーションのほんとうの意味

では、その訳語であるグローバリゼーション、これはどういう意味でしょうか。グローバリゼーションは「グローブ」という言葉が基になっています。グローブというのは、地球の球、地球儀のことです。英語で地球はアースでしょ？ と思われるかもしれませんが、グローブは地球の球形、つまり丸いことを強調するときに使います。グローバリゼーションというのは、英語ですから、イギリスやアメリカが、自分たちの基準で、自分たちの標準で世界を覆いつくそうというのがグローバリゼーションです。

ですから、私は同時通訳のときに、日本人が国際化と言うと、すぐ自動的にグローバリゼーション――ロシア語ですから、グロバリザツィアという言葉ですが――と、ほとんど同じ言葉に訳してきましたが、今話したように、ほんとうは逆の意味なのです。「国際化」と言うとき、日本人が言っている国際化は、国際的な基準に自分たちが合わせていくという意味です。国際村に、国際社会に合わせていく。

アメリカ人が言うグローバリゼーションは、自分たちの基準を世界に普遍させるということです。自分たちは変わらないということです。自分たちは正当であり、正義であり、自分たちが憲法である。これを世界各国に強要していくことがグローバリゼーションなのです。

つまり、同じ国際化と言っても、自分を世界の基準にしようとする「グローバリゼーション」と、世界の基準に自分を合わせようとする「国際化」とのあいだには、ものすごく大きな溝があるわけです。正反対の意味ですよね。これを私たちはちゃんと自覚するべきだと思います。これが第一の問題点です。

第二の問題点は何か？　世界に自分たちを合わせなくてはいけない、と日本人が考えるときの世界あるいは国際社会とは何かです。これは日本人の伝統的な習性で、その時々の世界の最強の国が、イコール世界になってしまう傾向があります。しかも、世界最強の国というときに、何を基準に世界最強と判断するか。基本的には軍事力と経済力、これだけを見て、文化を見ません。文化を見ないにもかかわらず、なぜか世界最強の軍事力と経済力を持つ国は文化も最高だと錯覚してしまう傾向があります。

この習慣はずっと昔から続いています。実に長いあいだ、日本人のお手本は中国でした。現在、日本語にカタカナ語が氾濫《はんらん》しているということが問題になっていますが、日本語に漢語が入り込んだ当時、その割合は、今のカタカナ語の比ではありませんでした。今日のわれわれの日本語は、かつて中国から入ってきた概念や言葉なしには成立しません。私が今、皆さんに話している言葉にも、いっぱい漢語が入っています。日本語そのものがあの時期に変質したぐらい、大量に漢語が日本に入り込んできました。

同時通訳誕生の必然性

ところで、なぜ同時通訳という方法が生まれたかご存じですか？　ふつうは逐次通訳といって、まずスピーカー（原発言者）が五分話す、あるいは十分話すと、その後、通訳が十分かけて翻訳する、通訳して聞かせる。同時に話したら、お互い打ち消し合ってしまって、聞こえないでしょう？　同時通訳は、音響的に隔離する装置ができて初めて可能になりました。一八七六年にベルが電話を発明してからです。この電話線を利用して同時通訳装置が開発されたのです。

スピーカーが話した言葉はマイクを通して、会場全員に聞こえます。もう一つ、この音は線を通して、ブースという音響的に隔離された小部屋に入った通訳者の耳に入ります。通訳者はそれを聞きながら、同時に別な言語に訳していきます。その訳は会場全体には流れません。通訳者が訳す言語しかわからない人にイヤホンを通じて入ります。

そういう装置ができて初めて同時通訳が可能になったのですが、なぜそんな方式をとるかというと、時間の節約のためです。二カ国語ならまだいい。英語と日本語だけなら、スピーカーが話した二倍の時間が会議にかかることになります。

ところが、さらにロシア語しかわからない人、ドイツ語、フランス語、中国語、韓国語と出てくると、三カ国語になったら、一つ話した後、さらに二つの言語に訳さなければならないので、三倍時間がかかる。四カ国語に訳すとなると四倍、六カ国語になると六倍、十カ国になると十倍時間がかかる。この調子だと、もう、一つの発言だけで会議が終わってしまいます。ですから、これを同時に通訳するという技術と文化が育っていくわけです。

音だけではだめ、意味がわからないと訳せない

今、日本で国際会議を行う場合、英語で発言すると、まず英語の通訳が訳した日本語を聞いて、私はロシア語に、フランス語の通訳はフランス語に、中国語の通訳は中国語に、全部を瞬時に、同時にダーッと訳します。ほんの三秒ぐらいの遅れをとりながら、同時に訳していくわけです。これをリレー通訳と言います。

このリレー通訳をするときに非常に困ることがあります。それは何かというと、英語の同時通訳者が英語を日本語にするときに、翻訳をサボってしまって、ちゃんとした日本語にしないでカタカナ語にして、それを「て・に・を・は」でつなげて文章にするという、非常に安易なやり方をするときです。

例えば、こんな文章——

「プレスリリースにもありますように、実にエポックメーキングでクリエイティブなコンセプトでありまして、これにマッチしましたハートウォーミングで、アイキャッチングな

コピーをプリントいたしますので、フランクかつホットなディスカッションをお願いします」

今、われわれが使っている、カタカナ語ではない言葉で表現できる日本語はちゃんとあるにもかかわらず、なぜこんなカタカナ語を使うのか？

そもそも、日本語になりきっていない言葉をカタカナで表すようになっているのです。擬態語とか擬音語というのがありますね。ニヤニヤとかジロジロ、あるいはキャーとかワンワンとか、これらは半人前の言葉です。主としてカタカナで表します。それから外来語、まだ日本語になりきっていない、音だけ取り入れる言葉、これもカタカナで表します。

通訳は音を訳すのではなく意味を訳します。ですから、意味をつかまえなくてはいけないのに、この半人前の言葉があまりにも大量に入ってくると、混乱して脳の言語中枢が拒絶反応を起こし、翻訳不能に陥るのです。

なんとかこのカタカナ語をもう少し減らせないか、試してみましょう。仮に「エポックメーキングでクリエイティブなコンセプト」と言わなくても、「画期的、創造的な概念」というように、ちゃんと日本語になるじゃないかと思うでしょう？　ところが、この画期的も創造的も概念も、全部、元は漢語なんです。もともとの大和《やまと》言葉ではないのです。つまり、その昔、日本の、特に知識人が中国一辺倒であった頃に、大量に中国から入ってきた言葉なのです。

こういうふうに日本語というのは、外来語がすぐ入ってこられるような構造になっています。なぜそう思うかというと、実際に自分で体験したからです。私は国際会議で中国語の同時通訳者と一緒に仕事をすることがありますが、会議の前には打ち合わせをします。そのときに、固有名詞とか、あるいはカタカナ語がたくさん出てくると、中国語の同時通訳者はしつこく、「これはどういう意味ですか？　どういう意味ですか？」と尋ねるんです。もううんざりするぐらい繰り返し聞かれます。つまり、シンポジウムとか、フォーラムという言葉も、中国語にするときには意味をとらえてきちんと訳さなければいけないのです。

日本語だと、コンセプトという語の意味がわからなくても、音だけ移して、平気でみんな使っていたりしますよね。「どういう意味？」と聞くと、わからなかったりします。でも、中国語の場合、意味がわからないと中国語にならないわけです。日本語は意味がわからなくても、音だけ移して日本語らしく聞こえるという、カタカナ語はそういう役割を果たしています。

ですから、中国語だけではなくて、ほとんどの言語が、実際に意味がわからないと言葉がつくれないようになっているのです。例えば、日本語に「ラブホテル」というのがありますね。日本語はそのままラブホテルとカタカナ語で言ってしまうでしょう？　だけど、香港に行くと、ちゃんとこれが中国語になっているんです。「情人旅館」となっています(笑)。ラブが厳密に訳されています。つまり中国語は、ちゃんと意味を訳さないと、外国の概念が入り込めないようになっているわけです。外国語が音だけで入り込める日本語は、それだけ門戸が広くなっている。悪い意味でも、いい意味でも、開かれた構造を持っているということになります。

日本語に「刷り込まれた」中国文明

カタカナ語が入り込めるようになっているのは、おそらく中国語を大量に入れるために生まれた構造だと思います。というのは、皆さんご存じのように、中国語を意味として入れたときは、漢字を入れて、訓読みをしました。訓読みというのは訳、つまり意味です。ところが、漢字には音読みもあります。この音読みは本来、日本語にはなかった音です。日本語は日本語になかった音も入れてしまったんです。

意味をきちんと翻訳せずに、意味を解釈せずに音のまま入れるという習慣をすでにあのとき、日本語はつくってしまったのです。ですから、今、カタカナ語が入ってくると眉《まゆ》をひそめるけれども、実はもうずっと前に、そういう道が開かれていたということになります。

皆さんは理科の時間、生物の時間に「刷り込み」という言葉を聞いたことはありませんか？　動物の行動心理学の用語ですけれども、かえったばかりの鳥のひなは、初めに出会った動くものに反応して、それについて行く習性があるのです。つまり、それを母親と思い込むように、本能にプログラムされているわけです。だから、最初に会ったのが自分の母親の鳥ではなくて、人間だったりすると、その人間を母親だと思って、ずっと追いかけつづけます。

動物の生存にとっても、成長にとっても、親子関係を維持するのは、生死を左右する、生命線にあたるような、大変重要なことです。ですから、刷り込みというのは、生後すぐの時期に限られています。この時期を過ぎて出会っても、人間を親とは思わないのです。生後すぐに会った人間を親と思い込んでしまうと、これを消し去ることはほとんど不可能だと言われています。つまり、人が親だというふうに刷り込まれてしまったひなは、母親だと思って追いかけるし、成長すると、人間に対して求愛行動をするようになるわけです。それぐらい強力なものなのです。

おそらく日本語も、新石器時代後期から抜け出たばかりの頃に、いきなり偉大な中国文明に出会ってしまったんだと思います。ものすごくびっくりしたと思います。だって、あの頃は、日本にやってきた中国からの使者たちの記述を見ると、まだ手で食べていた。箸《はし》なんか持っていなかったとか。貫頭衣のようなもの、頭のところだけくり抜いた、ポンチョのような貫頭衣みたいなのを着ていたわけです。それがいきなりあの中国文明に出会ったのですから。

中国と陸続きの国、ベトナムとか韓国、朝鮮半島などもやはり中国文明の影響下にありますけれども、あそこはずっと地続きですから、石器時代から少しずつ中国文明が発展していって、偉大な文明になっていくプロセスを代々伝え聞いて知っているわけです。プロセスを知っている。だから、驚かなかったと思うのです。

われわれ日本人は海に囲まれていたから、そのプロセスを全然知らなかった。いきなり発達した形の中国文明に出会って、そのショックたるや、明治維新の前にペリーが黒船でやってきたショックは大きかったですが、その黒船ショックよりもさらに大変だったと思います。

漢字で物事を考えるようになった日本人

あまりにもショックを受けて、そのせいで、われわれの言葉も、文字も、それから律令制度とか官僚制度のようなもの、あるいは税制、法律まで、とにかくなにからなにまで、無節操に全部取り入れてきました。日本にやってきた仏教は、インドから直接伝来したのではなくて、中国経由で来ました。

そのときに、われわれの日本語も大きく変質しました。つまり、現在の日本人は漢字で物事を考えるようになってしまっているのです。現代日本語でも、漢字の音読み言葉なしには成立しないでしょう？　特に学問の言葉、抽象的な概念を表す言葉は、古来の大和言葉だけでは絶対にやっていけない。そのぐらい日本語は外から入ってくるものに開かれた構造を持っているのです。だから、いちいち目くじらを立てるというよりも、むしろそうやってどんどん入ってこられることこそが、非常に日本的なんだというふうに見直す必要があるかもしれません。

鎖国の効用――外国文化の消化と日本文化の熟成

では、日本語はそのままずっと中国語を入れつづけていたのかというと、そうではないのです。これはほんとうに世界でも珍しくて、おもしろいんですけれども、日本という国、あるいは日本という国の文化の発展の仕方を見ていると、無節操に無批判に全部開いて、外から文化、文字、法律、なにからなにまで取り入れる時期と、貝のように閉じてしまって、外からなるべく入れないようにしようとする時期――例えば、江戸時代の鎖国していた時期があります。日本の歴史を見ていると、日本の文化は貝みたいに閉じる時期と、全開してなんでも取り入れる時期とが、交互に来るのです。

大陸にある国というのは、鎖国したり、開国したりすることができません。大きい国なら少しはできるかもしれません。それでも、地続きですから、鎖国すると決めても、ほかの国が強い軍隊でもって蹴《け》散らしたら、その国は蹂躙《じゅうりん》されて、侵略されてしまったら、もう閉じてはいられません。ですから、開国したり鎖国したりすることができるのは、日本が海に囲まれているからで、要衝となる港のようなところを押さえてしまうと、鎖国が成立するわけです。

鎖国と言うと、私たちはなんとなくマイナスの概念でとらえがちです。開国と言うと、オープンでどこかプラスのイメージがあります。明るいイメージがあります。鎖国と言うと暗いイメージがありますが、日本は、開国の時期に無節操に大量に外から取り入れたものを一生懸命、鎖国の時期に消化するのです。消化して不要なものは排泄《はいせつ》して、日本に向いたものをどんどん日本化していく、自分のものにしていくわけです。

例えば、歌舞伎なども、これはおそらく中国の京劇などから影響を受けたかもしれないけれども、ほんとうに日本的な、日本の文化になっていくのは、これが順化していくのは鎖国している時期です。つまり、日本独自のものと認められているものは鎖国時代に生まれています。

それと『星の王子さま』を覚えていますか？　『星の王子さま』は最初のページに帽子が出てきますよね。実はあれは帽子ではなくて、うわばみが象を飲み込んでいる絵だったのです。時間がたつと、飲み込まれた象がだんだんぎくしゃくして、皮も骨もなくなって、血と肉になっていく、そして、普通のうわばみに戻る。鎖国時代というのは、無理して大量に外国から仕入れたものを消化していって、自分のものにしていく時期なのです。

もともとどこの国の文化であっても、純粋な生粋《きっすい》の文化なんてほんとうはないのです。文化は常にお互いに影響し合いながら発達していくのですが、それが常に影響し合っている国と、日本のように、開国してふわっと入れて、後は鎖国して消化して、というやり方と、いろいろあると思うのです。日本は自分のものが大体でき上がった頃に開国するという具合でした。そうしながら、日本も日本文化も発達してきたような気がします。

世界最強の国一辺倒の日本

先ほどの話に戻りますと、もともと日本と日本文化には、その時々に世界最強と思える国、イコール世界最高の文化を持っていると思い込んで、その国の文化を熱烈に、ある意味では無批判に無節操に取り入れる癖があるんですけれども、それは、最初は中国でした。おそらく中国に出会ったことで、あまりにもすごい文明だったので、この日本文化の特徴が生まれたのかもしれません。エジプト、メソポタミアを一つとして、インド、中国は世界の三大文明で、そのうちの一つといきなり出会ったわけです。この時代が非常に長かった。

江戸末期になると、まだ鎖国時代ですけれども、今度は日本の知識人たちにとって、最高の文化はオランダとオランダ語になっていきます。命がけでオランダ語を勉強します。蘭学《らんがく》という学問分野まで出てくる。私は昔、ロシア語の通訳をしていて、蘭学というのをサイエンス・オブ・ホランドという意味のロシア語に訳したんです。そうしたら、「え？なんだ、そりゃ」とロシア人が言ったので、それで初めて、改めて蘭学ということについて考えてみたんです。

鎖国政策を布《し》いていた江戸時代の日本で、日本との直接の通商を許されていた唯一のヨーロッパの国がオランダでした。したがって、当時の世界で最も進んだ学問、技術はオランダとオランダ語を経由して、唯一、外国との通商を許された場所であった長崎の出島を通して、日本に入ってきたわけです。ですから、当時の日本で最新の知識や情報を仕入れるためには、オランダ語を知っているということが大事であって、日本の知識人はオランダ語一辺倒になっていくわけです。もちろん、彼らも中国語というか、漢語の素養はすでに十分持っているわけですけれども。

たしかに、日本に対して特権的な地位を、つまり、唯一の貿易対象国となる地位を確保する十七世紀のオランダは黄金時代にありました。皆さん、歴史の教科書を思い出してください。ヨーロッパ列強の中でも最強の国の一つです。世界各国に植民地を持っています。

その後、後からやってきたイギリスと戦争をします。四回にわたった英蘭戦争は、全部劣勢でした。坂道を転げ落ちるようにどんどん衰退していきます。講和のすえ、植民地を失います。戦争は植民地の分捕り合戦なんです。オランダはヨーロッパの国々の中でトップにいたわけですけれども、不利な戦争のたびにどんどん地盤沈下していきます。経済力も軍事力も落ち込んで、そのうちだんだん技術や自然科学部門の力も弱まってきます。

ところが、日本の知識人はそれを知らずにいたのです。おそらくオランダも、自分の不利なことを日本に知らせようとはしなかったと思います。ですから、それを知らない日本人はオランダ一辺倒でせっせとオランダ語を学んでいたのです。江戸時代の蘭学者たちが命がけで一途にオランダ語を勉強していく姿は、結構感動的ですよね。でも、実際の世界はもう変わっていたのです。

明治維新よりちょっと前に、実はオランダは世界最強の国でもないし、世界で最も学問が進んでいる国でもない、ということを多数の日本の知識人が知ることになります。もう大慌てです。大慌てで軌道修正をして、お師匠さんのくらがえをしていきます。当時は藩によって違いましたけれども、フランスやイギリス、ドイツ、アメリカなど、欧米先進国にお師匠さんをくらがえするわけです。そういう国にどんどん留学生が行きます。そして、これが第二次世界大戦後になると、アメリカ一辺倒になります。

最強の国の文化を取り入れる、日本の癖

これを見ていくと、日本は世界というものをとらえるときに、ほんとうの世界ではなくて、日本にとって身近な世界、最強の国を一つ定めて、そこの文化を一心不乱に取り入れ

ようとする傾向があることがはっきりしています。この日本の文化の、あるいは日本人の行動様式というか、習慣はかなり根強くて、日本が外国と接するときにこの特徴がよく表れてきます。

例えば、もうすでに四年前になりますが、小渕《おぶち》恵三首相という人がいました。今、小泉さんなので、小泉さんの前が森さんで、森さんの前の首相です。小渕さんが首相のとき、二〇〇〇年一月に、「二十一世紀日本の構想」懇談会というのが、日本有数の知識人を集めて行われました。そのときに、英語を第二公用語にするという構想が打ち上げられました。この構想の大筋は、「社会人になるまで、日本人全員が実用英語を習得し、刊行物はすべて和英併記にして、将来的には英語を第二公用語にしたい」と提言しています。

これには私の外国の友人たちはみんなぶったまげていましたけれども、日本でこういう論が出てくるのは実は初めてではないのです。日本が国際化するとか、外国とつきあうというような話があるときに、必ずこの傾向が出てくるのです。いい悪いは別にして、これが日本の外国とのつきあい方の特徴なのです。

まだ十九世紀、明治時代に森有礼《もりありのり》という人がいました。この人はたしか薩摩藩出身だったと思いますが、アメリカの公使を務め、その後、文部大臣になって日本の明治維新後の教育制度を整えた人です。この人がアメリカの公使をしていたときに、日本語廃止、英語採用論というのをぶち上げました。これは一八七一年のことで、「ワシントンスター」という夕刊紙にこの論文を掲載して、とにかく日本語を捨てて、英語にすると主張しているのです。

それから、皆さん、二・二六事件というのをご存じですか? あのときに蜂起《ほうき》というか、クーデターを起こした軍人たちの理論的支柱となっていた、思想的なバックグラウンドをつくったと言われている、北一輝という国家社会主義者がいますけれども、この人も一九一九年に「国家改造案原理大綱」というのを発表していまして、そこでもやはり日本語を捨てろと主張しています。「日本語は不便な言葉であるから、将来はエスペラント語を第一の公用語にしろ」、そういう論を展開しています。

それから一九四六年、つまり、四五年に第二次世界大戦が終わりますから、日本が敗戦を迎えた翌年です。そのときに、日本を代表する小説家の志賀直哉が、「改造」という総合雑誌に次のように書いています。「戦争に負けたのは日本の言葉がすぐれていなかったからだ。日本人の発想法や文化が劣っていたからで、日本人はこれから日本語を捨てて、例えば世界でいちばん美しいフランス語を話すべきだ」。要約すると、こんな内容です。これは冗談だと思ったら、非常に大まじめに書いているんです。

その後、平成時代になって、小渕さんの懇談会で、たぶん、有名なジャーナリストたちが中心になってまとめたのだと思いますけれども、英語を第二公用語にしようというようなことを言い出します。つまり、寄せては返す波のように、定期的に日本ではこの議論が出てきています。日本人は外国と接するというときに、必ずこういう反応をする癖があるんです。

島国ゆえに能天気な日本人

でも、皆さん、考えてみてください。ある民族の言葉、ある国の国語、これはドレスやネクタイみたいに簡単に取り換えられるものではないのです。それを政府が上で決めれば、すぐに取り換えられると思い込んでいるのも、日本人の特徴です。なぜなら、北一輝にしても、森有礼にしても、志賀直哉にしても、日本を代表する知識人です。非常に優秀な人たちだったと思います。そういう人たちがこういうことを言い出すというのは、その背景にもっとたくさんそう思っている人がいるのでしょう。

しかし、自分の母語でもない外国語を公用語にしようというケースは、めったにありません。植民地になった国が、植民地にした国、つまり宗主国に押しつけられて、嫌で嫌でしようがないけれども、どうしようもなくて、泣く泣く宗主国の言葉を公用語にするということはあります。でも、みずから進んで、自分が使っている言葉を投げ出して、よその国の言葉を公用語にするというのは非常に珍しいのです。

こういう、ある意味では非常におめでたい議論が出てくる、これも日本人の特徴です。こういうおめでたさ、つまり、自分の言語とか文化を簡単に軽んじるというか、あまり重要視しない、こういう能天気な気持ちでいられるというのは、ある意味では、天然の国境にずっと囲まれていた気楽さからくるものだと思います。

言葉や文化は民族のよりどころ

大陸に住む民族は、ほかの民族、ほかの国とつば競《ぜ》り合いを演じ、鼻を突き合わせて、常に緊張関係にありますから、言葉とか文化は、自分たちが自分たちであることの結束の砦《とりで》、よりどころとする重要なものだという意識があるのです。それが日本人には非常に少ない、もしくは薄い。逆にユダヤ人のように、国境がない、国土のない民族であれば、言葉や文化は民族の絆を深めるのに一層重要な役割を果たしていますから、言葉を捨てる、文化を捨てるなどということは、ちょっと考えられないわけです。これがなくては自分たちが自分たちでなくなってしまいます。

アラブとユダヤというのは激しく対立しています。パレスチナではもう絶え間なく殺し合いをしています。反目しています。でも、ほんとうはアラブ語とヘブライ語はほとんど同じなんです。同じ言葉の別な方言と言ってもいいくらいによく似ています。大体東京言葉と関西弁ぐらいの違いしかない、そのぐらい近いのです。それから、アラブの人たちが信奉しているイスラム教とユダヤ人が信奉しているユダヤ教、これは同じ『聖書』が聖典なんです。『旧約聖書』が共通の聖典です。

というわけで、実態はすごく似た者同士なのに、あれだけ強烈に、自分の民族、自分の言語、宗教をかたくなに守ろうとする意識というのは、やはり国土が不安定な分、それだけ強くなるのです。心の中の国境が強くなる。だから、ある意味では、心の中の国境が強いというのはあまり幸せな状況ではないかもしれないです。日本人は、天然の国境がずっとありつづけたから、言葉とか文化に対して、非常に気楽に考えられる、幸せな民族なのかもしれません。

国際化を錯覚すると自国の文化を喪失しかねない

ただ、幸せだけに終わらないのです。始末が悪いことがあります。それは何かと言うと、英語のような国際語を公用語にすることが——公用語というのは、日本の国語にするということです——国際化だと思い込んでしまう人が時々出てくる。これもやはりほかの国では考えられないことです。国際化だと思い込んでいるけれども、一種の錯覚です。英語を公用語にして、世界に出ていこうとするのは、オランダだけを通して世界を認識しようとした、オランダ語だけを通して世界の最も進んだものを取り入れようとした、鎖国時代とあまり変わらないわけです。

だって、考えてみてください。われわれが日本語で読んでいる小説など、日本語で蓄えられてきた膨大な文化があります。大宝律令などというのも昔ありましたし、法律、文学だけではなく、いろいろなものが日本語でいっぱい蓄えられてきているわけです。その中で英語に翻訳されているもの、あるいはまだ翻訳されていないけれども、翻訳可能なものはどれだけあるか。ほとんどまだ翻訳されていないし、翻訳不可能です。

それは日本語だけではなく、どこの国の言語でも——ロシアにしても、ロシア語で蓄えられた膨大なもののほとんどは英語にされていません。フランス語だってそうです。われわれが名前も知らない国の言葉だってそうです。それぞれの国でその国の言葉で蓄えられたものが、たくさんあるわけです。

これを日本語にあてはめて考えると、もしわれわれが日本語を捨ててしまうと、その蓄えられた文化というのを読むことができ、解釈することができるのは、一握りの学者だけになってしまうということです。蓄えられた文化を捨てることになります。

直接の関係を築いてこその国際化

それからもう一つ、世界中の国々の言語で蓄えられた文化は、英語にはそのうちの微々たるものしか翻訳されていません。だから、英語を知ったからといって、それぞれの文化にアクセスできるわけではないのです。英語を知ったからといって、世界を知ることができるはずがないんです。英語によって知ることができるのは、英語にされているものだけですから。

昔、オランダ語のみを通してでは世界を知ることができなかったように、ほんとうは英語だけを通して世界を知ることなどできないし、ある意味で、こういう形で英語を絶対化することは英語に対して失礼です。というのは、日本人が英語一辺倒になって、英語を重要視する最大の理由は、別に英語で蓄えられた文化に対して惹かれているというよりも、その経済力とか軍事力に頼って生きていこうとしているからであって、ある意味では非常に打算的で下品なわけです。

ほんとうの国際化というのは、世界にあるさまざまな文化と、英語経由、オランダ語経由、中国語経由ではなくて、国と国同士が直接の関係を築くことなのです。国際というのは国と国とのあいだという意味ですから、これは言葉だけではなく、外交においても、文化交流においても、どこかの国、どこかの言葉を経由して——何カ国語かを経由していくと、隔靴掻痒《かっかそうよう》の感があります。そうではなくて、直接の関係を築いていくことがほんとうの国際化になる、国際交流になるし、理解にもつながるわけです。

すべて英語経由

これは大変なことなんです。大変な努力が必要ですし、時間もかかることですけれども、たった一つの言語を通してそれができると錯覚していることが、日本の国際化という病気の非常に大きな特徴だと思います。

これがいちばんよく表れているのがサミット、主要国首脳会議です。七カ国だったのが、今、ロシアも加わって八カ国になっています。このサミットの通訳のあり方に、この日本の特徴がいちばんよく表れています。これは国ごとに順ぐりに開かれて、もう二十八年以上たっています。日本でも七年に一度、開催されていて、二〇〇〇年に沖縄サミットが開かれました。その七年前に東京サミットがありました。

このサミットで行われる同時通訳の図式というのがあります。サミットは先ほど言った八カ国が参加します。そして言語は六つの言語を使います。これをいちいち逐次通訳をやっていたら六倍時間がかかりますから、同時通訳を使います。

このサミットの同時通訳は第一回開催以来ずっと二十八年間、この方式です。日本語を使うのは日本、英語を使うのはアメリカ、イギリス、カナダ、フランス語はフランスとカナダ——カナダはフランス語圏がありますから——それからドイツ語はドイツ、イタリア語はイタリア、ロシア語はロシアがそれぞれ使う言語です。

フランスのシラク大統領が発言すると、それは即座に直接、英語、ロシア語、イタリア語、ドイツ語に翻訳されます。ところが、日本語に通訳するには、いったん英語に訳され、この英語から日本語に訳されます。沖縄サミットのときは森さんが首相でした。森さんが日本語で発言すると、これが直接通訳されるのは英語だけ。フランス語にも、ドイツ語にも、イタリア語にも、ロシア語にも、英語を経由して訳されていく、つまり、リレーになってしまうわけです。

どうですか。この図式を見ると、日本語はなにか鎖国時代の長崎の出島みたいな感じがしませんか。それぞれの国は、これだけ緻密《ちみつ》な、緊密な関係を築いています。日本は常に英語を経由して築くということになります。

サミットにおける同時通訳方式の図

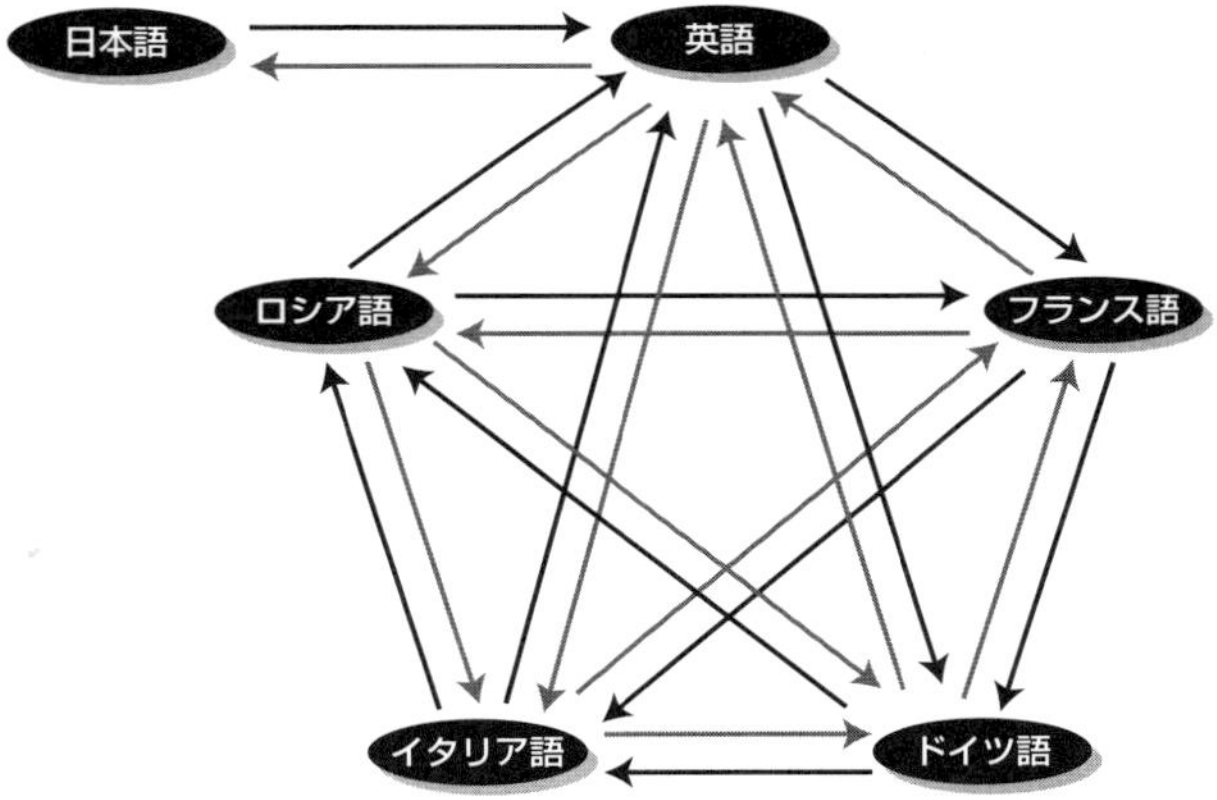

言葉というのは、単に意思を伝えたり、自分の感情や考えを伝える手段であるだけではなく、自分の感情や考えを整理したり、組み立てたりする、つまり、物事を考えるための手段でもあるのです。言葉はそれぞれその言葉を持って生きてきた民族の歴史や、文化、地理、自然、それによって培われた世界観などを映して内包しているものですから、常にこういうふうに英語を経由して伝えられるということは、いつも日本語が英語のフィルターのかかった形でほかの言語に伝えられるということになります。さらには微妙なニュアンスはすべて捨象《しゃしょう》されてしまいます。

こうして、すべてのサミット参加国が直接

コミュニケーションしていたのに対して、日本だけが二十八年ものあいだ、ずっと英語経由になっていたのです。英語経由のフィルターをかけて交流してきたということ、それをなんとも思わなかった。これはかなり異常な事態なんですけれども、この異常事態を異常と思わなかったということこそが、異常だと私は思います。これは国際化というものを錯覚している、つまり、英語、世界最強の国の言語を通せば、世界を知ることができる、世界に発信することができる、世界から情報が取り入れられると錯覚しているところで成り立っているんです。

引き継がれて発達した文化の豊かさ、おもしろさ

ところが国際化というのは、世界最強の国の基準に合わせることではないし、世界を文化として見るならば、軍事力、経済力が劣っていても、どの言語もどの文化も、ある意味で同じぐらい豊かであり、同じぐらいおもしろくて、同じぐらい価値のあるものです。

つまり、軍事力とか、経済力というのは一時的なものなのです。かつては中国が大国だったわけです。次いで、ヨーロッパが先進的な文化、文明を持っていた。それで蘭学者た

ちが一生懸命、オランダ語を通して取り入れようとしていたのです。

なぜヨーロッパの文化があれだけ発達したかというと、ギリシャ、ローマ時代の文化がアラブを通して引き継がれたからです。ローマ帝国が崩壊した後、ヨーロッパというのは一時期、非常に遅れます。ギリシャ、ローマ時代に蓄えられた人類の英知を引き継ぐ力を持っていませんでした。それを引き継いで維持していたのはアラブ世界なのです。だから、一時期、中世のヨーロッパ人には、知識人の場合、アラビア語が必須だったわけです。日本の知識人にとって中国語が必須だったように、アラビア語が必須だったのです。そして、アラビア語を学ぶことで、知識人として向上して、学問を深めることができたのです。アラブがあったおかげで、ヨーロッパは、アラブが維持してくれたギリシャ、ローマの文明を引き継いで発達していくわけです。

だから、文化というレベルで見ると、どの文化にも深いもの、おもしろいもの、価値あるものが非常にたくさんあるわけです。でも、軍事力とか経済力というのは、一時的にのしていくことはできても、永遠に長続きはしないものなのです。

外国語・外国文化を学ぶ大変さ

そういうおもしろい、価値ある文化が世界中に今、たくさんあります。世界に今、大体千五百から六千ぐらい言語があります。それぞれの言語でさまざまな文明、文化が、人類の知恵が蓄えられているわけです。ですから、それと直接の関係を築くこと、どこかを経由してではなくて、直接知ることが大切です。日本人一人一人が全部六千語を身につけることは不可能ですから、分業すればいいのです。そうすれば、豊かになるわけです。

日本から各国語で日本の情報を発信する、NHKの国際放送というのがあって、現在、二十二カ国語で行われています。イギリスのBBCは五十六カ国語で国際放送をしています。かつてソ連時代のモスクワ放送は八十六カ国語で放送を行っていました。今はもうその力はありませんけれども。

NHKは何カ国語、BBCは何カ国語と簡単に言いましたけれども、ある国の国民が別な国の国語、文化を学ぶというのは大変なことなんです。簡単に学べるものではないのです。このことを考えてみましょう。まず、その国に関する辞書、教科書、教える人が必要になります。一年、二年でできることではありません。何年もかかって、ある程度、複数の人がそれを一生懸命準備します。辞書をつくるというのは大変な仕事ですから、中には何代も、三代ぐらいかかってつくられるような辞書もあります。一カ国語を学ぶだけでも大変なことなのです。だから、外国語を学べる環境を整えていくことは大事業になりますけれども、しかしながら、今の日本の国力、経済力をもってすれば、これは十分にできる、そして、やりがいのある仕事だと思います。

英語偏重のはらむ危険

ところが、今、日本では英語を身につけることに関しては、非常に簡単にできます。異常なぐらい日本では発達しています。いまだに日本経済は不景気だと言われていますが、唯一景気がいいのが英語教育産業です。

英語を学習したり、英語を身につけることに全日本人が費やしている総エネルギー量というものがあったとしたら、日本人が外国語や外国文化を習得するために費やす全エネルギーの九〇％が英語にいってしまっているんではないかと思うぐらい、英語に集中しています。あとの一〇％で、残りの世界に大体千五百から六千ある言語の習得にあてているという感じです。

九〇％と一〇％という数字はいい加減に言ったのではなくて、今、日本に配給されている外国語映画の九〇％がアメリカ映画だからです。翻訳書を見ても、英語経由の翻訳あるいは英語からの翻訳が圧倒的に多いです。私の本業であった同時通訳の分野でも、英語の同時通訳者が日本の全同時通訳者の九〇％を占めます。残りの一〇％の中に、フランス語、ロシア語、スペイン語、イタリア語、ドイツ語、ポルトガル語、中国語、韓国語など、ほかの全部の言語が入っているのです。

これはどういうことかと言うと、日本人の頭の中にでき上がる情報の地図が英語経由のものに偏っているということになります。これが日本人の精神を貧しくしているのだと私は思っています。正確に世界を反映していないと思います。

このことを私が実感したのは、実は国際会議の現場においてです。そこでは、いろいろな言語の同時通訳者と一緒になります。みんな自由業ですから、自由闊達《かったつ》な人が多くて、話題も豊富でおもしろいんです。その中でいちばん話がおもしろくないのが、個性的な魅力に乏しいのが、英語の通訳者なんです。

批判精神と複眼思考を養う

外国語を学ぶと、ふつう日本語で物を見たり、考えたりするときにあった常識が、外国語でとらえ直したとたんにひっくり返るんです。すると日本の常識が通用しなかったりする。違う角度で物を見ざるを得なくなるわけです。だから、ほかの外国語を学んでいる人は、自然に批判精神とか、複眼思考――複眼思考というのは複数の目で見る力ですね、これが自然とついてくるんです。

フランス語、イタリア語、ドイツ語、中国語、韓国語、いろいろな言語の同時通訳者にはおもしろい人が多いと先ほど言ったのは、そういうことがあるからです。

ところが、なぜか英語の同時通訳者は批判精神と複眼思考が非常に弱いんです。それはなぜなのかと私は考えてみました。

その原因の第一は、日本はあまりにも英語一辺倒な社会だから、帰国子女にしても、英語を同時通訳ができるぐらいまで学ぶ人が多すぎることです。その競争の中で生き抜いて、採用されていく人はどうしても優等生タイプになってしまいます。角がとれてしまっていて、自分の個性を出さないのです。

第二は、日本のマスコミの情報源もそうですが、つまり、英語しかできないので、英語の情報をつい入れてしまうからです。それから、翻訳される本、記事、情報、あまりにも英語が支配的な言語であるために、英語を知っていることで得られる新しい情報、ほかの人は持っていない情報、これが少なすぎるのです。日本の場合、あまりにも英語一辺倒な社会だから、英語を知ることによって、新しい物の見方とか、意表をつくような、今まで考えてもみなかった発想法といったものに出会う機会が少ないのです。

外国文化の絶対化

第三は、これは非常に大事なことなんですけれども、私たちが外国語を学ぶと必ずかかる病気というのがあります。これは明治以降、進んだヨーロッパの文化を学ぼうと、外国へ出かけていった日本の知識人がみんなかかった病気です。

一つは、学んだ外国語、外国文化を絶対化するという病気です。例えば日本語と英語では、英語のほうが圧倒的にすぐれているとか、明快であいまいさがないとか、日本語はあいまいだとか、そんなふうに日本語をけなし、日本文化をけなし、外国と外国文化を絶対化してしまう、こういう病気があります。

もう一つは逆に、日本のほうがすぐれている、日本はすごいとか、自国と自国文化を絶対化する病気があります。みんな、どちらかにかかるんです。

どちらにかかる確率が高いかと言うと、外国語絶対化病のほうが高いのです。これはなぜでしょう？　日本語と日本文化は、われわれが意識的に努力することなく自然に身につきます。自然に身についたものはありがたくないんです。ところが外国語にしても外国文化にしても、ものすごく努力して身につけます。人間は自分がいちばんかわいいですから、自分が努力したもの、身につけたものがとてもかわいくなるのです。身近になるのです。したがって、最初に身につけた文化、最初に行った外国が、すぐれていると思いたいというのが人情なのです。

二つの外国語を身につける

日本人にとって、第一外国語はほとんど常に英語です。そこで、この病気を克服するためにいちばんいい方法は、もう一つの外国語を身につけることです。それによって初めて、第一外国語を突き放して、冷静に見ることができます。

母国語があるから、母国語をすでに習得しているから相対化できるだろうと思われるかもしれないけれども、日本の国語の教育では、日本語を一度、外国語として突き放して勉強していません。日本語を外国語として、つまり、外国人に教えられるぐらいに客観的に日本語を教える授業というのは、日本の学校ではしていません。これを一度徹底的にしたことがあれば、第一外国語を学ぶときに非常にやりやすいんですけれども、これをしていませんから、日本語による相対化の力は弱いことになります。意識的に身につけていない母国語だから弱いんです。

先ほど、英語の同時通訳者の話がつまらないと言いましたけれども、なぜ彼らの話がつまらないのか？　日本のような英語一辺倒社会で英語の通訳者になった人は、圧倒的多数が英語しかできないからです。日本では、英語は義務教育でみんな学ばされていますから、ドイツ語であれ、ロシア語であれ、フランス語であれ、中国語であれ、韓国語であれ、ほかの言語の同時通訳者はみんな英語ができるのです。日本語と英語とそして専門の言葉ができるから、最低三カ国語ができるわけです。

三カ国語ができる人は、それぞれの言語が相対化されて、三角形になっているから、一つ一つの言語をかなり突き放して見ることができますが、英語の場合は英語一辺倒なんです。

この一辺倒というのは、男女関係と同じで、「なになに君、命」とか思って一途に惚れ込んでいると、大体ふられるでしょう? 英語を身につけるときも、英語命で一つだけやっていると、大体うまくいかないんです。あまりうまくならないんです。もう一つ外国語を勉強していたほうが、いいのです。英語もできないのにもう一つ? と思うでしょうが、そうではないのです。もう一つ学んでいたほうが、遠回りのようで早道なのです。そのほうがよくできます。

六千もの言語も、実は十ほどの大家族

ここで言語の話をちょっとしますと、世界中にはいろいろな言語があります。少数民族の言語や限られた地域でしか使われない言語まで含めると、大体六千ぐらい言語があるんですけれども、その言語が、親戚関係で十ぐらいの家族に分けられるというのはご存じですか?

例えば、フランス語とイタリア語とスペイン語とルーマニア語とポルトガル語は非常に近いのです。だから、ちょっと慣れてくると、お互いの言語を知っている人はおおよそのことはわかり合える。日本語でも、薩摩弁と東北弁では、聞いていても最初のうちはなかなかわからないけれども、ずっと話していると、だんだん、なんとなくわかってきますね。外国語でも、同じ言葉の方言同士と言ってもいいくらいに近いのです。

さらにこの近い親戚を、もっと遠い親戚関係にまで広げると、一つは、ヨーロッパに分布するインド・ヨーロッパ語族という大家族になります。インドのヒンディー語、ウルドゥー語、ネパール語なども親戚です。ヨーロッパのほとんどの言語はインド・ヨーロッパ

語族ですが、ウラル・アルタイ語族もあります。これには、代表的な言語としてハンガリー語、フィンランド語、エストニア語が含まれます。

このように、似ている言葉で、発音も文法もよく似ているという言語の大家族が、十ぐらい地球上にあると言われています。日本語はおそらくウラル・アルタイ語族と太平洋南部のポリネシア語族が合体して、そのハイブリッドというか、ミックスしてできた言語だと言われています。

世界中の言語に共通していることは、どれも発声器がある、つまり声を使って言葉を発しているということです。必ず口の中で、舌とか、歯とか、声帯を震わせたり、震わせなかったりして、いろいろな音をつくって、その音の組み合わせで言葉をつくっています。そうして単語をつくって、その単語を組み合わせて文章をつくって、その文章を組み合わせて段落をつくって、というふうにして、自分の感情や意思を伝えたり、まとめたりします。

実はもう一つの別な方法で、世界に六千ある言語を分けると、三つに分類されるんです。では、どのように分けるかと言うと、単語をどのようにして一つの文章にまとめるか、ということに注目します。こうすると、孤立語、膠着《こうちゃく》語、屈折語のどれかに分類されます。

言葉の役割が語順で決まる英語や中国語

一つ目は英語と中国語、あるいはヴェトナム語などもそうですけれども、孤立語というグループ。孤立語というグループはどういう言語かというと、動詞がまったく活用せずに、文章の中の単語の役割が語順によって決まります。

皆さん、気づかれたと思うんですけれども、漢文も英語も語順は同じです。アイ・ラブ・ユーとウォ・アイ・ニーと同じでしょう? 漢文には返り点がありますが、英語も返り点をつけると、ほんとうに語順が同じだということがはっきりします。英語の場合、言葉の役割は語順によって決まります。

役割は時々、意味にもなります。例えばザ・ブラック・ボードというと、黒板のことです。ブラックは形容詞でしょう? ザ・ブラック・ボード。それから、ブラック・ザ・ボードといったら、ブラックは動詞になるでしょう? 動詞の命令形になります。こういうふうに同じ単語が位置によって名詞になったり、動詞になったり、形容詞になったりする。

語順によって決まる言葉、これが孤立語なのです。孤立語では語順を変えると文の意味も変わってしまいますから、語順がすごく厳しい。その代わり、言葉はあまり語形変化しません。それから、助詞もありません。

「て・に・を・は」が言葉の役割を決める日本語

二つ目のグループは日本語とか、ハンガリー語、トルコ語などもそうですけれども、膠着語。膠着語の「膠」というのはにかわという字、「着」は着目とか着服の着です。一つの言葉にほかの品詞が付け足されてくっつくから、こう言うんですね。膠着語は「て・に・を・は」が語尾につくことで文中の言葉の役割が決まります。だから、あまり言葉そのものは変化しません。日本語の場合、形容詞とか、動詞は少し変化しますけれども。

日本語の語順というのは相対的に自由ですね。英語は語順が厳しいけれど、日本語のほうは、動詞、述語さえ最後に持ってくれば、「私は母に手紙を書いた」でも、「手紙を私は母に書いた」でも、「母に私は手紙を書いた」でも、述語の手前の語順は自由自在なんです。なぜならば、単語の文中における役割は「て・に・を・は」で決まるからです。こういう言語が膠着語のグループです。

頭を柔軟にする三つ目の外国語

それから三つ目のグループが屈折語。この屈折は光の屈折の屈折と同じで、折れ曲って方向が変わる、つまり変化するという意味です。これはロシア語とか、フランス語がそうなんですが、言葉の文中における役割が言葉の語尾とか語頭とか、言葉の変化、屈折によって決まるんです。だから、語順は相対的に自由です。その代わり、語尾変化や人称変化など、屈折の法則を覚えるのに苦労するわけです。

こういうふうに三つのグループに分けられるんです。だから、日本語はすごく難しいとヨーロッパの人は言うけれども、ハンガリー人は日本語ほど簡単な言葉はないと言います。親戚だからなのです。日本人もハンガリー語を勉強すると楽ですよ、きっと。中国人のほうが日本人より英語が得意なのも同じ理由からです。同じグループに属しているからです。

というわけで、三つ目の外国語を学ぶ場合、日本語が膠着語で、英語が先ほど言ったように孤立語なので、もう一つは屈折語を選ぶと、皆さんの脳みそがすごくやわらかくなると思います。

ほんとうの国際化とは

先ほどからグローバリゼーションと国際化がどれだけ違うかというお話をしてきましたけれども、この二つはほんとうに違う、正反対の概念でありながら、実はセットになっています。世界最強の国の基準に世界中を合わせようとする「グローバリゼーション」と、世界最強の国に自分が合わせていくという「国際化」、これは正反対だけど、コインの裏表の関係になっているわけです。迎合するか、従属させるか、そのコインの裏表でぴったり合っているのです。

私はほんとうの国際化というのは、現実の国際化よりもはるかに困難だけれども、別なところにもっとおもしろい道があるというふうに考えています。一時的な経済力とか、軍事力などからはもっと離れた形で、世界のいろいろな国の文化、言葉というものを見て、それと日本語との直接の関係を築いていくことだと思います。それがほんとうの国際化であるし、そのことによって、世界も日本も豊かになるというふうに考えます。

第三章　理解と誤解のあいだ

——通訳の限界と可能性

同時通訳は神様か悪魔か魔法使い?!

初めまして、米原です。

皆さんは通訳を介してコミュニケーションしたことはありますか。

同時通訳という職業をやっておりますと、例えば、名刺の注文に行っても、名刺屋のおじさんに、

「かあちゃん、早く来いよ。同時通訳の人が来たよ」

と言われたりするんですね。

なぜそういうことになるかというと、同時通訳という職業は尋常な人ができるものだとは思っていない人が世の中には多いからです。

実際に通訳を雇われた方は、そんなことはないんですけれど、例えばテレビなどで、演説やなにかをスラスラときれいな日本語にしていく様子から、同時通訳者のことを、神様か悪魔か魔法使いかと思ってしまう人が多いんです。

それはある意味では当然です。というのは、日本ですと中学から英語を習って、英作文

とか英文解釈というのをさせられますね。日本語を英語に移しかえる、あるいは英語を日本語に移しかえるのには、みんな非常に苦労したわけです。大体これでみんな英語が嫌いになるんですけれど。

ところが、同時通訳者というのは、あの苦労した英作文をものすごいスピードでやっている。これは神様に違いない、と思う人が時々いるわけです。それで、名刺屋のおじさんみたいなことが起こるわけです。

そうした誤解のおかげで、得をすることも時々ありますけれど、損することもかなりたくさんあるんです。なぜかというと、なにか日本語を言ったら、それがすぐロシア語になるだろうと、買いかぶられているからです。

濡れ場の多いベストセラー小説『失楽園』

ロシア語だけでなくて、英語やフランス語や、そのほかいろいろな言語の人たちが集まった広告業界のシンポジウムがありました。最近は景気が冷え込んで消費も落ちていますが、そこで、消費をいかに活気づけるかについて、話し合いが持たれたわけです。

消費を活気づけるうえで、ガンになっているのは五十代以上の男性だと言われています。若い人は結構物を買いますね。中高年になっても、女の人はたくさん買い物をします。ところが、五十代以降の男性というのは、消費活力というんですか、いちばん購買意欲がなくて、どうも物を買ってくれない。そこで、この人たちをターゲットにして成功したら、それはもう業界のオーソリティになれるというので、広告業界の営業部門では、いかにして五十代以上の男性の心をつかむか、日夜頭をしぼっているわけです。

たしか電通の営業マンの方のお話でした。

彼が何に注目したかといいますと、渡辺淳一さんの『失楽園』に注目したと言うんです。ところが、同時通訳の現場で『失楽園』という言葉がイヤホンに流れてきまして、私たちはウッと詰まってしまうんです。

なぜかというと、『失楽園』と言うと、これを聞いたロシア人、あるいは英語圏のイギリス人とかアメリカ人といった人たちがすぐに思い浮かべるのは、イギリスのジョン・ミルトン（John Milton 1608–74）が書いた『失楽園』なんですね。

ですから、『失楽園』とだけ訳したのでは、全然伝わらないわけです。これは日本で三百万部に迫る勢いで売れたベストセラーで、主に婚外恋愛をテーマとして最後は心中して果てる、濡れ場の多い作品だと、それくらいのことを説明しないと伝わらないわけです。ところが、そんなふうに同時通訳の人が説明していては、話の展開に間に合わなくなってしまいます。

この場合ですと、「濡れ場の多いベストセラー小説『失楽園』」ぐらいに訳して、それで先に進んでいきます。

その電通の営業マンが、なぜ『失楽園』に注目したかというと、この小説は「日本経済新聞」という、五十代以上の男性の多くが読んでいる新聞に一年間連載されて、評判になった小説だからです。映画化されると、最近は日本映画は不況だというのに、これがまた、どの映画館も満席になっている。どうやら中高年の男性もかなり足を運んでいるらしい。ここになにか五十代以上の男性をつかむ糸口があるのではないか。この営業マンは、そう思ったわけです。

ここまでの話は、皆さん聞いていておわかりのように、通訳が成立します。論理的な内容で普通名詞を使っていますから、大体どこの国の言語にも通訳できます。

ところが、その営業マンが実際に映画館に行ってみると、五十代以上の中高年男性が足を運んでいるというのはまったくガセネタだった、というんですね。

これも通訳可能です。実際には、観客は五十代以上でも女性のほうが圧倒的に多かったというわけで、誤った情報だったのですから、これも通訳可能です。

シツラクエンじゃなくてトシマエンでした

けれども、彼はそれに続いて、「映画館に行ってみたら、シツラクエンじゃなくてトシマエンでした」と言ったのです。ここの「トシマエン」というところで、会場の日本人は爆笑するんです。一方で、通訳ブースの人たちは、全員通訳不能に陥るんです。

ロシア人やアメリカ人などには、なぜ日本人が笑っているのかわからない。それで、外国人全員が、バッと通訳ブースのほうを振り向くんです。「なんだ、ちゃんと通訳してないじゃないか」という目つきでにらみつけられます。私たちはガクッと信用を落とすわけです。

では、なぜこれが通じないのか。このことについて考えてみると、通訳という仕事のいちばん難しいところがわかると思います。

実は、この「トシマエン」という言葉の中には、大量の情報が入っているんです。「トシマエン」という言い方には、まず、「豊島園」という名の東京の有名な遊園地であるという情報があります。みんなにお馴染《なじ》みの、東京では大変有名な遊園地だということです。

さらに、年輩の女性という意味の「年増」という言葉と掛詞《かけことば》になっているという情報が入っています。

おまけに、「失楽『園』」と「豊島『園』」というように、両方とも「園」という漢字で対になっています。韻を踏んでいるというか、このおもしろみがあるわけです。だからこそ、みんな笑えるわけです。

けれども、同時通訳という、時間的に非常に限られた状況の中で、これを全部伝えるというのは、不可能なんですね。

通訳という営みには、常に限界がつきまとっています。一定の時間があれば、こういうふうに説明することができてわかってもらえるとは思います。なぜ日本人が笑ったかということも理解してもらえるんですけれど、でも、これだけ説明してしまうと、逆におかしくなくなってしまうでしょう。

このように、言葉を介して通訳する場合には、常にこうした限界がつきまとっているということなんです。

意思疎通をはかるうえでのズレ

しかしながら、おもしろいことに、世界中の人たちを見てみますと、どの民族であれ、どこの国の人であれ、コミュニケーションの手段は言葉が中心です。

コミュニケーションの手段というのは、言葉だけではなくて、ほかにもいろいろありま す。絵を使ったり、体を触れあったり、いろいろあります。けれども、いちばん基本的で、交換する情報量の多い手段は何かというと、言葉になってしまうんですね。文字が発明される以前は、人間は主として、呼吸器、口を使って発する音、つまり音声を耳で聞いて伝えるという方法に頼って、コミュニケーション、意思疎通をはかってきたわけです。

この意思疎通をはかるうえでは、異なる言語間では、実にいろいろな齟齬《そご》が生じます。

まず、その原因は何かということについて考えてみましょう。そうすると、言葉というものは何かということと、その限界、あるいは可能性が見えてくるように思います。

「三つの願い」

皆さんは、「三つの願い」というおとぎ話をご存じでしょうか。たしかペローの童話集に出てくる話です。

正直者で非常に働き者なんだけれど、いかんせん貧しくて毎日恵まれずにひもじい思いをしている夫婦がおります。彼らは、それでも日々神様に感謝する気持ちを忘れず、夕方の食事の前には欠かさずお祈りをするんです。

ある日、やはり「今日も一日無事でありがとうございました」とお祈りをしていると、もしかしたら感謝された方が気詰まりに感じたのか、上のほうから神様の声が聞こえてきました。その声が、「どんな願い事でも三つだけかなえてあげよう」と言うんです。この夫婦は驚いて、もしかしたら、あんまりおなかが空いていたので空耳だったのかしら、というふうに思ったりもします。

二人はなかなか信じられないんですけれど、だめもとで、奥さんが、「おなかが空いているから、ここにゆでたてのソーセージがあったらいいわ」と言うんですね。すると、そう言い終わらないうちに大きなゆでたてのソーセージが載ったお皿が、からしまで付いて目の前に出てきたわけです。二人は腰を抜かすほどびっくりするんですけれど、奥さんのほうは、おなかが空いているものですから、さっそくそのソーセージを食べようとします。

そうしたら、ご主人が怒り狂って、「たった三つしかない願い事を、そんなことに使っちまいやがって。ソーセージなんかおまえの鼻先にくっついてしまえ！」と言うんです。そうご主人が口走ったとたんに、奥さんの鼻にその大きなソーセージがくっついてしまいました。ご主人の希望どおりになったわけで、これが二つ目の願いです。

どんなに引っぱっても、ソーセージは奥さんの顔の一部になってしまって鼻から離れません。引っぱると、奥さんは「痛い痛い」とわめくわけです。とうとうどうしようもなくなって、「どうか顔を元どおりにしてください」と神様にお願いするわけです。それでたちまちソーセージは跡形もなく消え失せて、二人は元のみすぼらしい状態に戻ったというお話です。

この話は、子どもの頃に聞いたことがあると思いますが、世界中どこでも似たようなお話がたくさんあります。

これは一種の教訓話で、ここからくみ取るべき教訓は何かというと、「他人任せはしょせん身につかない」とか、「欲張ると元も子も失ってしまう」といったような戒めなのでしょう。

同じ言葉でも思い浮かべるものは人それぞれ

でも、私のように通訳を職業にしていますと、このおとぎ話を振り返ってみたとき、「普通の人間が神様と直接言葉でもってコミュニケーションをしても、果たしてきちんと通じるのだろうか」と、そういう疑問を持ってしまうわけです。

例えば、「この二人にとって、ほんとうにソーセージが第一の願いだったと言えるのかどうか」。そういう問題も出てくるわけで、そういうことを考えてしまうわけです。

つまり、ここには、言葉の特徴というものが出てきていると思うのです。

言葉というのは、物事そのものではないわけです。「ソーセージ」という言葉は「ソーセージそのもの」ではないでしょう。「ソーセージ」という言葉を聞いても、皆さんそれぞれが思い浮かべるソーセージは、おそらく一人一人みんな違うでしょう。つまり、「ソーセージ」という言葉は、記号にすぎないんですね。「ソーセージ」という言葉によって神様が思い浮かべるソーセージと、この夫婦が思い浮かべるソーセージとは違うわけです。「リンゴ」と聞いたときでも、白雪姫がかじって死んでしまった毒リンゴを想像する人もあれば、紅玉が好きで紅玉を思い浮かべる人もいれば、ふじを思い浮かべる人もいるし、みんなそれぞれ違うわけです。

同じ言葉を使っているのに、人によって思い浮かべるものがみんな違う。

このお話のように、自分の前に突然神様が現れて、どんな願い事でも三つだけかなえてあげると言われたら、皆さんならどうしますか。あらかじめ考えておいたほうがいいですよ。こういう事態が、いつ起こるかわかりませんからね。

私だったら、まず「美人にしてください」と言うと思います。けれども、次の瞬間、私が思い描いている美人と、神様が思い浮かべている美人とは全然違うんじゃないかと心配になってくるわけです。だって、浮世絵風の美人にされたら困ります。それなら、今のままのほうがいいと思います。モナリザ風でもちょっと困るなとか、いろいろと考えていますと、もっと怖いのは、ピカソ風の美人になることですね。神様がピカソと同じ美意識の持ち主ではないという保証はどこにもないわけです。

それならば、もう少し具体的にお願いしてみたらどうか。例えば、「顔をもっと小さくしてください」とか、「目をもっと大きくしてください」とか、「鼻をもっと高くしてください」といったように。

美容整形に行く人で、何度もやり直している人がいますね。アラジンの魔法のランプみたいに、何度でもお願いできるといいんですが、これは三回だけしかお願いできません。そうすると、「顔を小さく」と言っても、米粒みたいに小さくなってしまったら困るし、「目を大きく」と言ってもスイカみたいに大きくなっては困るし、「鼻を高く」と言っても東京タワーみたいに高くなってしまっては困ります。

ズレを最小限にするための通訳

言葉だけで意思を伝えようとしたときには、家族同士のように、お互いが何を考えているのかほとんどわかり合える仲でしたら、ある程度通じるでしょう。日本人同士ならば、鼻が高いと言ったときにはどのくらいかということもわかるでしょう。

けれども、そうではない人たちと話すときには、具体的に話をしても、果たしてきちんと通じるか、かなり心配になってきます。いきなり神様が目の前に現れたときには、どういうふうにお願いを言ったらよいのか、ちゃんと考えておいたほうがいいと思いますね。

こういう心配をしたのは私だけではないようです。それで、昔の人は神様との交信、やりとりには一種の通訳を使っていました。

例えば、ギリシャ神話ですと、商業の神様と言われているヘルメス（Hermes）という神様がいます。彼が、ゼウスという万能神、オリンポスの神様たちの親玉に、人間と神とのあいだのやりとりを通訳するよう命令されて、交信を受け持っていたと言われています。だから、私はギリシャ語は知りませんが、古代ギリシャ語では通訳のことを「ヘルメネウティエス（Hermeneuties）」と言ったのだそうです。

それから、中国の歴史書に初めて固有名詞付きで登場する日本人は、倭人《わじん》の卑弥呼《ひみこ》という人です。この人も、神様と人間のあいだの交信を取り持っていたようです。恐山の霊媒などもそうですね。これは神様ではなくて、亡くなった人と生きている人のあいだの彼岸の境地を取り持つ役目をしているわけです。

つまり、神様ですとか、異なる文化の相手との交信を成り立たせるためには、通訳を使うべきなんです。

五年くらい前に、ニューヨークのハーレムでこんな事件が起きました。黒人の浮浪者の前に、やはりいきなり神様が現れて、三つの願いをかなえてやると言われたんです。彼は迷うことなく、次のように叫んだそうです。「白くなりたい」「女たちの話題の的になりたい」「いつも女の股ぐらにいたい」。すると、たちまち男の姿は消え去り、路上にはタンポンが一個転がっていたというんです。

これは笑い話ですが、そういうこともあるので、神様と交信するときには、現代でもやはり通訳を使ったほうがいいのではないかと考えています。

ただし、一つだけ問題があります。どんな分野にも自分の能力について誤解している人間が、最低二〇%はいると言われています。つまり、自分は実際の能力以上にできると思い込んでいるわけです。どの分野でも平均すると、大体そのぐらいの割合になるんだそうです。例えば、弁護士にしても、優秀な弁護士もいれば、自分は優秀だと思っているけれど実際には全然だめな弁護士もいます。大学の先生でも事情は同じです。

ところが、神様との交信能力については、大体九八〜九九％の人が自分の能力について過信しているんです。しかも、これは半分冗談のような話なんですけれど、神様と交信するための通訳を見つけるのは、非常に難しいという問題があるわけです。

交信の手段は言葉

通訳においていちばん問題なのは、交信の手段に言葉を使っていることです。通訳にとっては、言葉が商売道具であるということです。

先ほどの話からもおわかりのように、言葉というのはモノそのものではないわけです。あくまでもモノを指す記号なわけですから、例えば私がリンゴを手渡すならば、リンゴそのものを相手に手渡すことができますけれど、言葉を手渡すということになりますと、その言葉をどう解釈するかというのは、その渡された相手の人の問題になるわけです。

これは通訳だけではなくて、言葉を伝達する営みをしているあらゆる人たちに付き物のことですが、言葉を発したときにそれが相手によってどう受け取られるかということを常に考えざるを得なくなるのですね。

通常のコミュニケーション

今日は皆さんに、「通常のコミュニケーション」という図と「通訳者を介してのコミュニケーション」という図をお配りしました。

これらは、私たちがコミュニケーションをするときには、たぶんこうなっているだろう、ということを描いた図です。もちろん、目に見えるわけではありませんから、あくまでも、おそらくこうなっているだろう、という予想図です。

まず、「通常のコミュニケーション」という図を見てください［図1］。

初めに概念①があります。なにか話し手の言いたいことですね。

次に私たちはこれを言葉でもってコード化しています。つまり、記号化するわけです。

例えば、相手の人と結婚したいと思っているとしますと、そのまま相手にストレートに言う人もいれば、「君と同じお墓に入りたい」と言う人もいるだろうし、「毎朝君のつくった

図1　通常のコミュニケーション

みそ汁を飲みたい」と言う人もいるでしょう。いろいろな言い方があります。

そして、これを表現する。表現する場合にも、例えば手紙を書く場合もあるし、音に出して言葉にして言う場合もあるし、いろいろな表現の仕方があります。

例えば音にして言った場合には、言葉になって、これがメッセージとして相手に伝わります。

そうしますと、今度は受信者、聞き手の側のほうの受け取り方が問題になります。

メッセージを受け取ると、受信者はこれを認知する。つまり、聞き取ったり読み取ったりするわけです。

そして、聞き取ったり読み取ったりしたものを解読するわけです。ところが、「君と同じお墓に入りたい」と言っても、これは日本では通じても、いろいろと違う解釈が可能ですから、ほかの国だと通じなかったりします。それが、最終的に概念②のところで受信者が解読して、「ああ、この人は私と結婚したがっているんだわ」と理解できたら、このコミュニケーションは成立したということです。

ところが、例えば、「毎朝君のつくったみそ汁を飲みたい」と言われても「この人は私を家政婦に雇いたいのかしら」というふうに思われたとしたら、コミュニケーションは成立しなかったことになるわけです。

これが「通常のコミュニケーション」だとしますと、「通訳を介したコミュニケーション」というのは、この関係がさらに複雑な関係になるわけです［図2］。

通訳を介したコミュニケーション

どうなっているかというと、やはり概念①があって、それを日本語とか英語でコード化し、音や文字によって表現します。表現されたものはメッセージ①になって、聞き取られたり読み取られたりして認知され、そしてそれが解読されて、概念②になります。この概念②が概念①に近ければ近いほど、コミュニケーションは成功しているわけですね。

この概念②になったものを、今度は違う言語に置き換えるわけです。コード変換を行うわけです。やはりコード化なんだけれども、例えば日本語だったものをここで英語にする、という作業をするわけです。

そして、英語にされたものを文字とか音によって表現して、メッセージ②になり、それを受け取った人は、さらにそれを解読して概念③を得て、ようやく発信者の人はこういうことを言っていたのかということがわかる。こういう非常に回りくどい道をたどるわけです。

つまりコミュニケーションというのは、最終的にこの概念②や③のところで、受け手が、「ああ、この人はこういうことを言いたいのだ」とわかるところまで行って、成り立つものなんですね。

したがって、コミュニケーションをするときには、概念①が概念②ないし③と等しくなっているかどうかまで考えないと、いいコミュニケーターとは言えません。通訳の人は、いつもそのことを心配しながら通訳しているわけです。

図2　通訳を介してのコミュニケーション

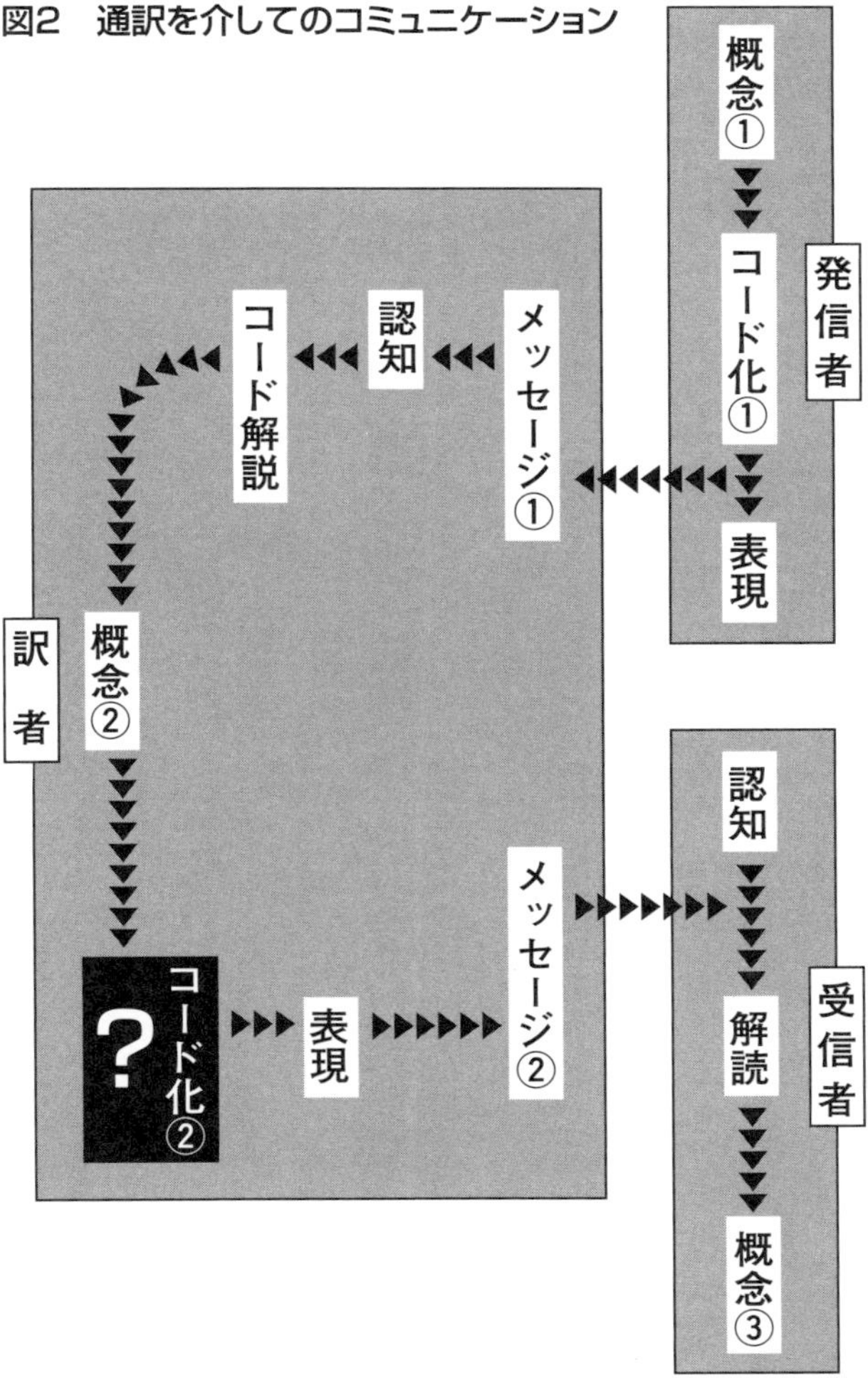

例えば、手足のことを意味する四肢《しし》という言葉を幼稚園児に向かって言っても理解できませんよね。「シシ」という単なる音で終わってしまって、メッセージを認知するところまではいくけれど、解読できないわけです。これではコミュニケーションがストップしてしまいますから、「おててとあんよ」と言ってあげないといけないでしょう。中学生ぐらいでしたら、「手足」と言わないと通じないでしょう。

コミュニケーションというのは、ここまでできて初めて一人前という性格のものなんです。

言葉によって何を想像するか

ロシアには徴兵制がありまして、軍隊に入る際には体力検査などがかなり厳密に行われます。専門家による精神鑑定も行われるのですが、ある隊の新兵たちの心理テストをしたときの話です。

医者　「レンガという言葉から何を連想するか」

兵隊1「田舎のばあちゃん家《ち》のペチカ」

兵隊2「三匹の子豚の童話で、三匹目の子豚が建てたおうち」
兵隊3「共産主義建設のつち音」
兵隊4「女のお尻」

この四人目の兵隊の答に心理学の鑑定官はびっくりしてしまいました。これは異常な反応に違いないと思って、

「君はなぜ、レンガから女のお尻を想像するのかね」

と聞きました。

そうしたらその兵隊は、

「おれはいつでも女の尻のことしか考えていないから」

と答えたんだそうです。

実にばかばかしい話ですが、それでも、言葉によって何を想像するかというのは、いったん相手側に認知されたらその先はもうその人の自由なんです。この自由であるということが、実はすごく心配なわけです。

特にこの点について心配するのは、放送関係者です。今のロシア新兵の話は笑い話です

が、次はイタリアの実話です。

「来る」ということを英語で「カム（come）」と言いますが、イタリア語では「ヴェニーレ（venire）」と言います。ほぼ同じ意味の言葉に「アライヴ（arrive）」という英語がありますね。「到着する」という意味の語です。これはイタリア語で「アルリヴァーレ（arrivare）」と言います。

ところが、英語の「カム」には「いく」という意味の隠語があるように、イタリア語でも、この「ヴェニーレ」という言葉を一人称で使うと、その隠語の意味もあるんです。

それで、イタリアのテレビ局は視聴者がそう受け取るのではないかと心配して、絶対に一人称ではこの「ヴェニーレ」という言葉は使わないんです。タブーになっています。

例えばクリントン大統領がイタリアに来るような場合でも、絶対に「アルリヴァーレ」を使うんです。放送関係の人たちは、そのぐらい言葉を使うときには気をつけています。

しかし、ある言葉を発したときに、それから何をイメージするかは、受け手の人それぞれの自由なんです。こう解釈しなさいと外からどれだけ圧力をかけても、勝手にイメージが浮かんでしまうものはどうしようもないわけです。

言葉の持つ真の意味を訳す

四、五年前に、こんなことがありました。

世界エイズ会議という会議が横浜で開かれました。二週間ぐらいにわたって開催され、いくつもの分科会などもある、非常に大規模な会議でした。

その中の一つに、現役の売春婦の人たちの分科会があったんです。この分科会に同時通訳として動員されたのです。

同時通訳というのは、ふつうブースに三人一緒に入るんです。なぜかというと、ものすごく集中を要する作業なものですから、十分から十五分で交替していかないと続かないのです。けれどもこの会議の場合には、非常に医学用語が多くて大変なので、五人でブースに入っていました。

会議の始まる直前というのは非常に緊張します。専門用語を大量に覚え込んでいきますし、最初につまずくと後で取り戻すのは大変なので、会議が始まる直前の通訳ブースは非常に殺気立っています。ですから、部外者は中に絶対に入らないほうがいいところなんです。

ところが、非常に殺気立っていらいらしながら、単語帳を開いて単語をもう一度暗記し直したりしている最中に、いきなり主催者が入ってきたんです。

何事かと思ったら、「今日の会議では、絶対に『売春婦』という言葉は使わないでくれ」と言うんです。「『娼婦』も困ります。『淫売』とか『商売女』という言い方もだめです」。「直前になってそんなことを言われても困ります。それじゃあいったいどんな言い方をしたらいいんですか」と聞くと、「コマーシャル・セックス・ワーカー」で統一すると言うのです。

「同時通訳というのは時間が命なんだから、そんな長いのは困る」と、みんなでさんざん文句を言ったんですけれど、いざ本番が始まるとさすがプロ。五人ともだれ一人間違わずに、みんな「コマーシャル・セックス・ワーカー」と訳していました。

ところが、途中でオーストラリアだったかカナダだったかの出席者が、英語で「ブロッサル（brothel）」という言葉を発したんです。それで、それを担当していた女の人がイヤホンを外して、「どうしよう」と困ってしまったのです。「brothel」というのは「淫売宿」という意味なんです。「淫売宿でも売春宿でもいけないし、どうしよう！」と困っていたら、ベテランの人が、サッとマイクに向かって、「コマーシャル・セックス・ワーカーの職場」と訳したのです。

このように、通訳の現場で話すときには、常にその言葉がどう受け止められるかということを気にしながら言葉を選んでいきます。そのときに大切なのは、言葉の表面の意味ではなくて、その言葉が持っている真の意味です。これが伝わらなくては用をなさないわけです。ですから、「コマーシャル・セックス・ワーカーの職場」と訳してしまえば、「淫売宿」が意味していることがきちんと伝わるわけです。

同時通訳の人たちというのは、絶えずこういうことに気を遣いながら仕事をしているのです。

鋼鉄の人

言葉が持つイメージということについて話を進めますと、例えば「鋼鉄」という言葉があります。この言葉からは、鉄道の線路など実際に鉄でできたものを想像する場合もありますが、特にヨーロッパの場合は、「鋼鉄」という言葉は、比喩《ひゆ》でよく使われます。

例えば、ソ連の政治家にスターリンという人がいましたけれど、スターリンとは「鋼鉄の人」という意味なんです。

彼は本名を「ジュガシビリ（Dzhugashvili）」と言うんですけれど、自分のペンネームを「鋼鉄の意志を持った人」という意味で「スターリン」とつけて、さらにそれを公式の名前にしてしまった人です。

ソ連が成立してまだ間もない一九三〇年代に書かれた小説に、『鋼鉄はいかに鍛えられたか』（ソ連の小説家　N・A・オストロフスキーの長編小説）という作品があります。これは、人間が強い意志を持って生きていくことを、鉄から鋼鉄に精錬していく過程に引っかけてつけられたタイトルで、革命のために自分のすべてを捧げた一人の青年が、不屈の意志を持った男へと成長していく物語です。

このように、「鋼鉄」というと、「ゆるぎない」とか「堅固な」とか、そういう意味も同時に付随するわけです。鉄そのものだけでなくて、比喩として使われます。

一九八五年にゴルバチョフがソ連共産党政治局の会議で書記長に任命されたときにも、こんな話が伝わっています。

スターリン時代からずっと長いあいだソ連の外務大臣を務めた人で、グロムイコという人がいました。国連で何度も拒否権を発動したので、「ミスター・ノー」と言われていました。この人が、「ご覧のとおりゴルバチョフ同志は、人の心をとろかすような魅力的な笑顔を持っている。しかし、この笑みをたたえる唇の裏には鋼鉄の歯が隠れている」と言って、ゴルバチョフを推薦したんだそうです。

つまり、強い意志を持った男だという意味のこの一言が決め手になって、ゴルバチョフは書記長になったと言われているんです。

ゴルバチョフが日本に来たときに、この話はほんとうかと聞いたら、それはガセネタだと言っていましたけれど、いずれにせよ、「鋼鉄」というのはそのような意味を持った言葉なわけです。

このゴルバチョフがイギリスを訪れた際、「この男はソ連の指導者には珍しく、話が通じる男だ」と彼に惚れ込んだ政治家がいます。「鉄の女（アイアン・ウーマン）」とあだ名されたサッチャー女史です。この人も「鋼鉄」というイメージを持っているわけです。

意味を併せ持つ言葉

このように、言葉というのは、いろいろな意味を同時に併せ持っているものなんです。日本では「三高」といって、男性が女性にもてる条件は、背が高くて、学歴が高くて、収入が高いことだと言われますね。

ロシアの場合は何かと言いますと、第一が「頭に銀」、銀髪です。「はげない」という意味です。次が「ポケットに金」。これはわかりますね、お金を持っているということです。そして、三つ目は「股ぐらに鋼鉄」というのです。

私はある教科書に、「鋼鉄」という言葉は、鉄だけではなくていろいろなイメージと関連した言葉だという話を書くために、ゴルバチョフにまつわる話のほかにも、このロシアの女性にもてる三条件についても書いたことがあるんですけれど、編集者に、「教科書の品位が落ちるので、この三つ目の条件は省いてほしい」と言われてしまいました。

そこで、第一と第二の条件には日本語の訳をつけるけれども、第三の条件はロシア語だけにして、後は各自辞書を引いて調べてもらうことにして、教科書を出したのです。そうしたら、一カ月もしないうちに、「辞書を引いたら『股ぐらに鋼鉄』と出てきましたけれども、これはいったいどういう意味なんでしょうか」という手紙が何通も来ました。テレビ局の担当者にしろ出版社の担当者にしろ、皆さん老婆心を働かせていろいろと心配されるのですけれど、いったん受け手側にメッセージが入っていったものは、それをどう解読するかは一種の解放区になってしまっているわけです。

ですから、私たち通訳者ができることは何かというと、なるべく意味の幅を狭めて、必ずこの意味で受け取ってもらえることを目指して、訳語を選んでいくことなのです。

もっとも、訳語を選ぶといっても、選択の幅は結構少ないんです。

瞬時に言葉を選ぶ能力と努力

どうしてかというと、通訳だけでなくて、だれでも話をしているときに、必ずしもいちばん適切な言葉を選ぶことができるとは限らないからです。頭の中にはおそらく何万語も入っています。自分の言いたいことを表現するのにいちばん的確な言葉というのがあるはずですが、必ずしもちょうどそのとき記憶がうまく作動してその言葉が出てくるとは限りません。そういう問題がまずあります。

実は、そこが通訳になれる性格となれない性格との分かれ道になるわけです。

通訳というのは、その場で音にして伝えるわけですから、翻訳と違って調べる時間がないのです。

翻訳者であるならば辞書を引く時間もあるし、専門書にあたる時間もあるし、あるいは図書館に行って調べたり、専門家に電話をしたり訪ねていったりして聞くこともできる。いちばんぴったりした訳を探し出すための時間が潤沢にあるわけですね。

通訳というのは、元のスピーカー、「原発言者」と言いますけれど、この原発言者がなにかひとまとまりの言葉を言い終わったら、その時点で訳語がサッと出てこなくてはいけないわけですから、それだけしか時間がないわけです。辞書なんか引いている暇はありません。

しかも同時通訳の場合には、原発言者がしゃべっているあいだにそのまま並行して通訳するわけですから、適切な訳を考えて探し出す時間というのが、もっと短いのです。さらに、先ほどの話のように、「売春婦」という言葉を使うなとか、「ヴェニーレ」ではなく「アルリヴァーレ」しか使ってはいけないといったさまざまな制限が加えられているわけです。

テレビ局に行きますと、同時通訳のブースには使ってはいけない言葉がたくさん書いて貼ってあります。例えば、「屠殺《とさつ》」という言葉なんかがそうです。使ってはいけないとなると強迫観念みたいにその言葉ばかり浮かんでしまって、かえってほかの言葉がなかなか浮かんでこなくなったりしますが、とにかくほかの言葉でもって瞬時に通訳しなくてはいけないわけです。

そのように、通訳でいちばん大変なのは時間の問題なんです。いい訳を選ぶために考えたり調べたりしている時間がない。

ではいったいどうするのかというと、事前にできるだけ自分の頭の中の辞書を豊かにしておくしかないんです。

アナトール・フランス（Anatole France 1844-1924）というフランスの小説家は、辞書のことを「アルファベット順に並べられた宇宙」だと言ってますけれど、人間の頭の中の辞書はアルファベット順に並んでいませんね。最近は電子辞書になってきて、人間の頭に近くなってきましたけれど。

私たちは、会議が予定されると、当日に向けて、その会議に合わせた大量の知識と単語を覚えていきます。その中には、その会議でしか使わないような単語もあります。

例えば、十年以上前に名古屋で「万国家禽《かきん》会議」という会議が開かれたときは、善玉コレステロールとか悪玉コレステロールといった言葉や鶏卵関係の言葉。それから養鶏場のいろいろな設備の名前などを大量に覚えました。けれども、その会議以外では、その後一度も使ったことはありません。

そういうことは、たくさんあります。それでも、会議の通訳の依頼を受けますと、その会議が始まるまでの、例えば二週間なら二週間のあいだに、その会議が終わったらもう忘れてしまうような単語や知識を大量に頭に刻み込んで覚えなくてはいけません。

瞬時の記憶力

そして、通訳という仕事をする以上、絶対に必要なのは、日本語と、私の場合はロシア語ですけれど、これらを自由自在に操って的確な表現ができるようになることです。そのために、さまざまな単語や文型、表現といったものを、日頃から大量に記憶に定着させておかなければなりません。それらが、必要なときに瞬時に出てくるようにしておくためには、そういうものについて、半永久的な記憶力が必要です。

通訳するときに、さらに重要なのは、瞬時の記憶力です。

瞬時の記憶力というのは、メッセージをいったん認知したら、それを訳し終えるまでは忘れないということです。つまり、何を言ったのかという情報が、どんどん抜け落ちてしまって、忘れてしまう可能性があるのです。時間の制限の中で、これをなるべく忘れないでいる必要があります。

言葉というのは、先ほどから申し上げているように、ものそのものではなくて記号ですから、それによって人々はいろいろなイメージを描きます。けれども、元のスピーカーの持つイメージとできるだけ同じイメージをもう一方の人にも抱いてほしい。少なくとも非常に近いものであってほしい、と通訳者は願っているわけです。

それが、時間の制限の中で、これだけ複雑なプロセスを経て伝わっていくにもかかわらず、なぜできるのか。通訳というのが職業として成り立っている以上、それが七〇〜八〇%はできているはずです。

同時通訳の実演

なぜできるのかという理由を考えていくために、今ここで、同時通訳の実演をやってご覧に入れたいと思います。

これからお見せする映像は、実際に私がテレビで同時通訳をしたときの資料です。それをご覧いただきながら、同時通訳がどのようにして可能になるのか。なぜ最初の人が言おうとしたことがほぼ間違いなく相手の人に伝わるのか、ということを見ていきたいと思います。

皆さんのお手元に資料をお配りしましたが、これはこれから流すテープの内容を全部翻訳調に訳してみたものです。まず、この字句どおりに翻訳を全部読んでみますので、それを聴きながら映像をご覧ください。

尊敬する同胞市民の皆さん

中央銀行とロシア連邦政府の発表した新旧通貨の切り替え処置に関して、次のことを申し上げます。

第一に、中央銀行とロシア連邦政府の発表に基づき実施されている新旧通貨の切り替え処置は、ロシア連邦最高会議の承認を得たものではありません。

第二に、通貨両替限度額を三万五千ルーブルとし、銀行預金を向こう六カ月凍結するという行為は、言うまでもなく差し押さえ・押収に等しいものであり、はっきり申し上げて、人権を侵害するものであり、最高会議の支持をとうてい得られるものではありません。

さらには、今日の複雑な政治的、社会・経済的状況の中で、当該処置は国内の事態をさらに困難にするものであり、当然のことながら、緊急に訂正を要するものであります。

第三に、このような状況のもとで、最高会議は、緊急に両替額制限を撤廃すべきであると考えています。両替は、組織的、計画的に実施すべきであり、断じてロシア国民とCIS諸国の、承知のとおり、同通貨が流通している国々の国民の利益を損なうものであってはなりません。

第四に、私が申し上げたいのは、もし、銀行と政府がこの制限を撤廃しないならば、われわれは緊急に最高会議総会を招集し、しかるべき決議を採択するものであります。同時に、おそらく、この処置に責任を負う要職にある者は、更迭されることになるでありましょう。

第五に、私はロシア連邦、ＣＩＳ諸国の、承知のとおり、同通貨が流通している国々の国民に対して、落ち着きを保たれるように呼びかけます。

皆さんの利益は、必ずや最高会議によって擁護されるでありましょう。

ありがとうございました。

これは、一九九三年に、ロシアで新旧通貨の切り下げがいきなり行われたときのものです。みんな預金を預けていましたから、大パニックに陥りました。今のビデオの人物は、当時、ロシアの最高会議議長だったハズブラートフという人です。この人物は、このあと、国会の銃撃事件があったときに、ルツコイ副大統領と一緒に逮捕されてしまいましたけれど、これはそのしばらく前のときの映像です。

今、私は、翻訳文を読み上げました。そうしますと、耳から入ってくる情報が多すぎて、頭の中で内容を理解するまでに至らないんです。ハズブラートフが言っている情報は、全部きちんと入れてあって、言葉としては全部訳してありますけれど、内容がきちんと皆さんに届いたかというと、必ずしも届いたとは言えなかっただろうと思います。

ところが、文章にして読むとよくわかるんです。しかし、音として聞いた場合には、頭に入ってこない。

では、どうしたらいいのかと言うと、言葉の数をもっと少なくしないといけません。さらに、言葉の数を少なくしても、発信者と受信者の持つ概念をなるべく近づけなくてはいけません。

あらゆるコミュニケーションに通じる同時通訳のテクニック

ではどういう手を使うのか、それをこれから具体的にやってみましょう。これは同時通訳のときだけではなくて、あらゆるコミュニケーションで使うことができるテクニックです。

まず、最初に「尊敬する同胞市民の皆さん」と言っていますけれど、「尊敬する」という言い方は、ロシア語であれ、英語であれ、ヨーロッパではだれかに呼びかけるときに必ずつける枕詞《まくらことば》みたいなものですから、これは省いてしまってもいいんです。だから、「同胞の皆さん」、これで十分です。これだけでも、基本的な意味はちゃんと通じるわけです。

次に、最初の文章で「中央銀行とロシア連邦政府の発表した新旧通貨の切り替え処置に関して、次のことを申し上げます」とありますが、ここで「次のこと」というのは、これからそのことについて話すのですから、情報としては必要ありません。

つまり、まずわかりきった情報や余分な情報、大事な情報をもう背負っていないような言葉やほかの言葉で通じてしまう部分をどんどん切り取っていくわけです。

これがロシアでの放送ならば、もうみんな中央銀行とロシア政府が行ったことだと知っていますから、この「中央銀行とロシア連邦政府」という言葉も省いてしまってもいいのですけれど、日本では知らない人もいますから、これはちゃんと訳すことにします。

次の「第一に」の文章は、大部分がすでに前の文章で言ってしまっていますね。ですから、全部省いてしまっていいわけです。単に、「第一に、これは」と言ってしまってもわかります。「第一に、これは、ロシア連邦最高会議の承認を得たものではありません」。日本人にわかりやすくするためには、「ロシアの国会の承認を得たものではない」と言えば、これで必要な情報は全部伝わります。

同じように、「第二に、通貨両替限度額」という部分は、通貨の話をしているのですから、単に「両替限度額」だけでわかります。

「三万五千ルーブル」、これは新しい重要な情報ですから、そのまま残します。

「銀行預金を向こう六カ月凍結するという行為は」というのは、凍結そのもののことで「するという行為」は必要ない。だから、「六カ月の凍結は」とします。

「言うまでもなく」は、言うまでもないから言わなくてもいいわけで、これも省きます。

「差し押さえ・押収に等しいものであり」。これは差し押さえだけ残して、「差し押さえであり」とする。

「はっきり申し上げて」。この人は、ちゃんとはっきり言っているわけですから、これも省いていい。

「さらには、今日の複雑な政治的、社会・経済的状況の中で、当該処置は国内の事態をさらに困難にするものであり」。これは、「現在の苦境をさらに困難にする」とか「先鋭化させる」とか、そういう言葉でいい。「当然のことながら」は省きます。

それから、「第三に、このような状況のもとで」というのは、「このような状況」についてずっと話していますから、これも省きます。

次に、「ロシア国民とCIS諸国の、承知のとおり、同通貨が流通している国々」というのは、これは全部合わせて「ルーブル圏」と言ってしまえば通じてしまいます。「ルーブル圏の国々の国民の利益を損なうものであってはならない」とすればいいわけです。

そして、「第四に、私が申し上げたいのは」。こんなのも省いてもいいですね。「この処置に責任を負う要職にある者は」などというのは、「責任者は」で十分です。「責任者は更迭されることになろう」。

そして、「第五に」のところは、やはり「ルーブル圏」とします。

こういうふうに通訳していくんです。

発信者の言いたいことを、いかに伝えるか

何が言いたいかというと、肝心なのは発信者の言いたいことを相手に伝えることであって、途中のプロセスの部分はある意味では自由なんですね。このプロセスの部分は、必ずしも元に忠実じゃなくてもいいわけです。

字句どおり全部そのままにやっても、情報が多すぎて逆に伝わらないのだったら、省略できるところは省略して、ちゃんと伝わるようにしたほうがよいわけです。最終的に双方のイメージが一致することが大事ですから、途中の部分でいくら一生懸命になっても、肝心なところがだめになってしまったらなんにもなりません。

通訳というのは、ある意味ではそういうふうに腹をくくって、初めて成り立つわけです。

今の例ですと、これだけカットすると音として聞こえるものとしては、大体半分くらいになります。しかし、情報量はほとんど変わっていません。

文脈で決まる言葉の意味

なぜ変わらないかと言うと、実は人間の言葉というのは、小説でも、論文でも、新聞でも、実際に文字に書かれたことや音になったもの以外のものを、たくさん含んでいるからです。

ふつうそれを文脈とか前後関係と言っていますけれど、これに頼って私たちは言葉を使っているのです。

ゴルバチョフが登場して、スイスで米ソ首脳会談が開かれたときのことです。このときに、私は生まれて初めてテレビで会議の同時通訳をしました。なにしろ初めてなものですから、ものすごく上がってしまったんです。

こうした会議では、例えば「最高会議」という言葉が出てきたら、テレビでいきなり「最高会議」と言っても大多数の日本人にはわかりません。これは「議会」とか「国会」に直して通訳します。神経の使い方が全然違うわけです。

ですからよけいに緊張してしまって、もし失敗したら同時通訳者として永遠に葬られてしまうだろうな、などと思ったりして、さらに上がってしまっていました。

しかも、最初にゴルバチョフが話すらしいというので、絶対だめだ、と思っていました。

ところが、最初に入ってきた音は、司会役のスイス大統領のフランス語で、「プレジダン　エ　セクレテール　ジェネラル（Président et Secrétaire général ……）」というものでした。

これをフランス語の同時通訳の人は、「議長ならびに事務局長閣下……」と訳していったんです。私は、それですっかりズッコケてしまって、気持ちが楽になったのです。

辞書を見れば、「Président」というのは、「議長、裁判長、校長、社長」といろいろな意味があります。それから「Secrétaire général」も、「事務総長、事務局長」などいろいろな意味があります。

しかし、文脈というものがあるわけです。そこにレーガン大統領とゴルバチョフ書記長がいて、その二人に向かってスイス大統領が呼びかけていたら、これは「大統領閣下ならびに書記長閣下」としか訳せないはずです。

このように、個々の言葉はいろいろな意味を持っていても、具体的な文脈によってそれらの意味は確定されるわけです。

先ほど申し上げたように、一つの言葉についても人それぞれ、さまざまなものをイメージします。けれども、そのイメージは文脈によって狭められて、最終的にはある一つの意味しか取れなくなるのです。その言葉がいったい何を意味しているのかを、私たちは文脈によって判断するわけです。言葉というのは、そういうふうになっています。

今、実際にご覧に入れた省略例も、この文脈に依存しています。つまり、文脈によってわかりきったことは、どんどん省いてしまってもいいわけです。

もちろん、それぞれの考えている文脈が違ってしまうこともたくさんありますけれど、でも文脈のおかげで通訳というのは成り立つのです。

ではその文脈とは何かということを考えていくと、それは文章の中の文脈だけではなく、その言葉を取り巻いている環境だったり、外の世界の歴史的文脈だったり、さまざまな要素が入ってきます。ですから、言葉を取り巻く状況そのものの理解を深めるように、できるだけ努めているわけです。

通訳の覚悟

通訳という仕事、それから通訳だけではなくコミュニケーションを取り持つあらゆる仕事というのは、ある意味では、非常に不確実なものです。完全にコミュニケーションが通じて最終的に理解が一致するなどということはあり得ません。そのことを、まず覚悟しなくてはいけません。

考えてみると、それは通訳だけの話ではありません。人は、一人一人みんな異なる個性を持ち、違う人生を送っているのです。親子や兄弟だってそれぞれ性格も違うし、お互いの環境も違います。それでもお互いに理解し合えるということが貴重で、大事なのではないかと、私は思っています。

通訳だけでなくコミュニケーションというものが、そのように非常に不確実なものであって、最終的に完全に一致するなどということはあり得ないという、一種の諦念というか、覚悟を持つべきだと思っています。

みんなと一緒に笑える喜び

では、それでもなぜ私が通訳になったのかということをお話しして、締めくくりたいと思います。

私は、小学校三年生のときに、父の仕事の都合でプラハに移りまして、ロシア語で授業を行う学校に五年間通いました。

小学校四年生になったときに、チボーという、お父さんがカナダ人でお母さんがフランス人の男の子が転校してきました。

このチボーという男の子が、手のつけようのない悪ガキだったんです。

転校してきた日には、前の席に座っていた女の子のお下げ髪を切り取ってしまったために、その女の子はビービー泣き出してしまって授業をつぶしました。

翌日は、教室に置いてあった地球儀の球を取ってしまって、廊下でサッカーをしました。

教師たちにとっては、もう疫病神みたいな男の子で、父親はしょっちゅう学校に呼び出されていました。チボーが悪さをするたびに呼び出されるのですが、チボー少年をつかまえようとして走り回って、チボーは職員室に置いてある書類とかペンを投げながら逃げ回るものですから、職員室で始終鬼ごっこをしていました。

たぶん教師たちはこの少年のことを呪っていたと思うのですが、なぜかこの子は毎日登校してくるんです。授業をつぶすのを生きがいにしてるんですね。教師たちは、チボー少年の顔を見たとたんに顔が青ざめてひきつってしまう、というような毎日でした。

ところが、教師たちもあきらめの境地に達していた頃、こんな事件がありました。

算数の図形の時間でしたが、チボー少年は泡立て器を教室に持ち込んで、けたたましい音を立てるんです。しかも、隣の席の女の子にその泡立て器を押しつけたりするものですから、女の子たちもキャーキャー騒いで、全然授業にならない。

そうしたら、ガリーナ・セミョーノヴナという女の先生だったんですけれど、その先生がこぶしを握りしめて、「これ以上つけあがると、その芋面をシンメトリィにしてやるからね」と言ったんです。

「シンメトリィ」、対称形です。これを聞いたとたんに、教室中爆笑したんです。そのチボー少年まで、こらえきれずに吹き出しちゃったんです。

というのは、チボー少年は喧嘩《けんか》をした後だったから、ちょうど右のほおが紫色にはれていたんですね。そして、私たちは、その前の授業で「シンメトリィ」という言葉を習ったばかりで、すごく新鮮な言葉だったのです。

ガリーナ先生の言い方は、「左のほおに右のほおとおそろいになるように、一発かましてやるぞ」といった月並みな言い方とは違って、非常に詩的ひらめきに満ちた表現だったものので、それでみんなは感服してしまったんですね。

おもしろいことに、この事件以後、チボー少年は授業中だけは静かになったのです。みんなは「ガリーナの奇跡」と言って、学校中で評判になりました。

もっとも、食堂のフォークやナイフが、時々ゴソッと消えてしまって、どうしたのかと思っていたら、チボーが屋上から校庭の花壇めがけて投げていたとか、そういう悪童の面目は保っていて、みんな妙に安心していたりしたんですけれども。

なぜチボー少年は、「シンメトリィ事件」以降、授業つぶしを突然やめたのか？

ガリーナ先生の言葉には、たしかに迫力がありました。ガリーナ先生の恋人はフライ級かバンタム級のボクサーだったのですが、彼と並ぶとガリーナ先生のほうがはるかに肩幅も広く胸板も厚かったんです。それなのに、肉体も舌鋒もヘビー級の先生が、チボー少年になぜもっと早く能力を発揮することができなかったのか。

人間は常にコミュニケーションを求めてやまない動物

私は、長年ずっとそのことについて考えていたんですが、あるときフッと謎が解けたんです。チボー少年の体験を自分自身の体験に引きつけてみたら、わかったんです。

私はチボーが来る二年前にプラハに移り住んだのですが、ロシア語の学校に入った当初というのは、アンデルセンの人魚姫みたいなもので、毎日四時間から六時間も、なにもわからない授業に黙って出席しつづけるわけです。これは耐え難い苦痛なんです。意地悪されてもそれを訴えられないし、なじったり抗議したりできないわけです。これは実に悔しいことなんです。

いちばん悔しいというか寂しいのは、みんなが笑っているときに一緒に笑えないことです。これが寂しくて切ないいんですね。

大人だったら荷物をまとめて勝手に帰ることもできますけれど、まだ子どもですから、しかたなく毎日悲痛な覚悟で学校に通いつづけなければならなかったのです。まだ九歳なのに、肩こりと偏頭痛に悩まされるぐらい学校に行くのが苦痛でした。

おそらく、チボーも来た当初は、やっぱりなにもわからなくて、とても辛かったんだろうと思うんです。ですから、あの授業つぶしは、私の肩こりや偏頭痛と同じだったのではないでしょうか。

けれども、ガリーナ先生が「シンメトリィ」のことを言った瞬間には、先生の言ったことがわかったんですね。笑ったから。みんなと一緒に理解することができて、みんなと一緒に笑える喜びというのが、あの瞬間、彼にもわかったんだと思うんです。それで彼は、それ以降授業つぶしをやめたのではないかと思います。

つまり、人間というのは他者とのコミュニケーションを求めてやまない動物なんです。先ほども言いましたように、コミュニケーションというものは、不完全なもので、完璧《かんぺき》なものにするのは永遠に不可能です。しかし同時に、人間というのは、常にコミュニケーションを求めてやまない動物であるという確信が、私にはあります。たぶんそれが現在も通訳をしている原因ではないかと思うのです。

みんなが同時に笑えて、一緒に感動できる。いつもそれを目指しています。不完全だけれども、とにかくいつもそれを目指しつづけるというのが、通訳という職業ではないかと思っています。

第四章　通訳と翻訳の違い

言葉を相手にする通訳と翻訳

こんにちは。私、風邪でのどを痛めてしまいまして、お聞き苦しいかと思いますけれど、我慢してください。

二十年ぐらい同時通訳をしていまして、毎日一件から四件ぐらい、さまざまな分野の会議とか会談、パーティーで通訳します。そうなりますと、いろんな人に会わなくてはいけないので、私も毎日ちゃんとお風呂に入って、歯を磨いて、顔を洗って、髪を梳《す》く生活をしていたのです。けれども、ここ五年ぐらいだんだん物書きのほうにシフトしてきました。大体、物書きというのは「鶴の恩返し」の鶴みたいに、あるいはイザナミみたいに、とても男の人に見せられる状態ではないですね。髪振り乱して。十日間ぐらいお風呂に入らないで、もちろん着替えもせず、ずっと昼も夜も集中して書いていて、とても人には見せられない格好で仕事をしております。ですから、こういう講演のように人目にさらされる場所に出てくるときには、昨日、やっと十日ぶりにお風呂に入ったという、みっともないことをしております。ついこのあいだ、旧ソ連のどこかの大統領が来たときに人手が足りないので、どうしても来てくれと言われて、急いでいてお風呂に入る余裕もなく、十日間お風呂に入っていない身で出向きました。日本銀行総裁と向こうの大統領との昼食会の通訳をするのに、香水をたくさん振りかけて、なるべく臭《にお》いが伝わらないようにしたくらいです。まあ、それぐらい仕事の内容からすると、ものを書くというのと、通訳するというのは違うんですね。しかし、言葉を相手にしている点では共通項があります。手話通訳も私たちと同じ業者と言いますか、同時通訳者ですけれども、これは、音の言葉から目に見える言葉に直す通訳です。私どもの場合には、音として入ってくる言葉を別な国の音として発せられる言葉に直していく仕事です。

小説を楽しめる語学力があれば通訳になれる

「同時通訳ができるようになるためには、いったいどうしたらいいんでしょうか?」――実にたびたびいろいろな人に尋ねられます。同時通訳という仕事が、非常に格好いい仕事のように思われているんですね。それは、テレビで衛星放送が盛んになり、地球の裏側の事件や出来事、発表などが一瞬にして映像と音を伴って日本に入ってくるようになって、それをなるべく早く訳さなければならないということで、脚光を浴びるようになったのです。しかしながら、実際の通訳の現場はものすごく地味というか、わずか二畳ほどのブースと呼ばれる小部屋の中に入って、耳から入ってくる言葉をまた別な言葉に訳していく作業をするわけです。だから、非常に地味であるし、できるようになるために、こつこつ勉強していなくてはいけないし、毎回専門分野が違うから、そのたびにその専門分野の勉強をしていかなくてはなりません。皆いちばんおいしいところだけ見て、なりたいなぁと思うんですね。でも、まあ、私はなりたい人がたくさんいればいいと思います。そのほうが、やはり切磋琢磨《せっさたくま》して優秀な人が出てきますから。

とにかく私のようなところにも、「同時通訳になるにはどのくらいの語学力が必要でしょうか？」と尋ねてこられるんです。私はいつもそのときに、小説を楽しめるくらいの語学力が必要だと言っています。文学小説が楽しめるぐらいの語学力があれば通訳はできます。その外国語と日本語と、この両方で小説が楽しめるようになれたら、通訳になることはかなり簡単だと思います。

通じない地獄のような辛さ

これは私自身の苦い経験からきています。私は小学校三年のときに、九歳でしたけれども、まったく言葉の通じない世界にいきなり放り込まれました。父の仕事の関係で、チェコスロヴァキアのプラハに一家が移住しました。チェコスロヴァキアですから、いちばんいいのは地元のチェコ語の学校に通うことだったのですが、親たちは考えたわけです。チェコに滞在するのは三年から五年である。だから、この三年から五年間には、日本語とか日本の勉強に空白ができるわけです。ところが、その代わりとしてチェコ語を勉強したとしても、三年や五年で、ある国の言葉をちゃんと身につけることは不可能ですよね。そして日本に帰ったときにチェコ語の勉強を続けられるためには、本や教科書を入手できなくてはいけないし、先生が必要だけれど、そういう人は日本でたぶん見つからないだろう。だからロシア語のソヴィエト学校に入れられたんです。

なにもわからない、いっさい言葉が通じないところに毎日毎日通わなくてはいけないのは、もう、苦痛を通り越して恐怖でしたね。先生の話すことがなにもわからない。そこに一日中座りつづけていなくてはならない。拷問以外のなにものでもありませんでした。それから周りの子どもたちが笑っているときに一緒に笑えない、これも切ないですね。悲しい、寂しい。それから、理不尽なことをされても、相手に抗議もできないし、相手を罵《ののし》ることもできない。これも非常に悔しい、辛い。大人だったら、自分の人生の主人公になれますから嫌だと思ったら、荷物をまとめて出てしまう、通うのをやめてしまうことができたはずですが、私は子どもで、あくまでも被保護者ですから、親の言うとおりに通いつづけなければならなかったのです。だから、私の体はこちこちに堅くなってしまって、九歳だったんですけれど、偏頭痛と肩こりに悩まされるようになりました。いつになったらこの地獄から抜け出せるのか、あるいは抜け出せないのか、もう胸が張り裂けそうでした。毎日学校に行くのが怖くて怖くて……。

それでも、三カ月くらいたってくると、少しずつ薄皮がはがれるように、話されていることがわかってくるんですね。わかってくるけれど話すほうはもっと難しい。わかるけれど言えない。このわかるけれど言えないというのは、ちょうどアンデルセンの人魚姫の感じと同じです。だから私は『人魚姫』を読むと、自分のことのように涙があふれてくるのです。全部わかっているのに、なに一つ自分で表現できない辛さ悲しさ。

通じた瞬間の喜び

さらにもう少し時間がたってくると、非常に簡単なことならば言えるようになってきました。例えば「そのセーター、いいセーターね」、それから「図画の先生ってキザね」とか。そういう実に他愛もないことなんですが、これがきちんと相手に通じたときの喜び。あれだけ物が通じない地獄を味わうと、通じた瞬間の喜びは大きいですね。今までの苦痛がチャラになって、お釣りがくるほど大きいと思いました。だから私が通訳の仕事に就いたのは、お互いを全然わかり合っていない人たちが通じ合った瞬間の喜びを、無限に味わえるからではないかという気がしたからです。

飛躍的にロシア語力が伸びたのは、三カ月間の夏休みです。六月一日から八月三十一日まで、まったく宿題がないんです。このあいだ、ピオニールラーゲリ、強制収容所のラーゲリも同じ言葉ラーゲリを使いますが、学校主催の林間学校みたいなもので、申し込めば参加できます。そこでは基本的に子どもたちの自治になっています。食事の時間や就寝時間などは全部枠ができているけれど、自由時間に何をするかは、子どもたちが侃々諤々《かんかんがくがく》議論して決めていくのです。そこで毎日ロシア語で生活する中で、だんだんコミュニケーションができるようになりました。

七百語で足りる日常のコミュニケーション

実は、われわれの日常では、ボキャブラリーは七百語くらいで足りるのです。文型は五つくらいあれば十分です。私の知人でロシアの大使館に勤めていた日本人がいますが、この人は動詞は命令形だけで通じたと言います。基本的に単語があって、疑問文、肯定文、感嘆文、仮定法とか、いくつかの文の形を知っていれば十分です。知らない単語は、相手がそこにいれば手で示すか、指示代名詞か単なる代名詞で済ますことができるのです。状況に応じて代名詞を使い分けることで、七百語と五つの文型があれば、日常生活の普通のコミュニケーションには不自由しません。ですから、バイリンガルの帰国子女が同時通訳ができるかというと、ほとんどの人はできません。それは七百語くらいで済ませてきたからです。ところが会議ではもう少し抽象的な話とか学問の話になるので、通訳には膨大な量の語彙《ごい》も必要ですし、文の形も微妙で複雑なものが必要になります。そういうものを身につけなくては、お金をもらう通訳はできるはずがないですね。

辞書を引かずに本を読み通す

そのキャンプに図書館がありました。ある日図書館の本を漁っていたら、その中に漢字で『箱根用水』と書かれていたものがありました。私は日本を離れて六カ月くらいたっていたので、異郷で同郷の人に会ったような懐かしさを感じて、その本をがっと握りしめました。ところが、表紙は漢字だったけれど、中はロシア語がずらっと並んでいました。それなのに、私はためらうことなく読みはじめたんです。これは高倉テルという日本人作家が書いた小説です。富士山麓《さんろく》の人たちの生活が水に左右されていた江戸時代に、地下トンネルで箱根芦ノ湖の水を引いてきて、貯水池や運河を造り、農業に役立てるために、権力と渡り合ったり、いろいろな人の協力を得ながら、その事業を成功させていくという話で、私は夢中になって読みました。読んでいる最中には、それがロシア語であることに気づかなかったのです。実は、キャンプに行く前に学校の図書館で何度か本を借りて読もうとしたのですが、大多数の本は、やはり言葉がわからない。単語の意味がわからないと、辞書を引きますね。いちいち辞書を引くと興味が薄れて、途中で挫折《ざせつ》することが多かったのですが、このとき初めて全部読むということをしました。それで辞書なしで読む自信がついたのです。なぜこういうことができたのか、後で説明します。

そのキャンプでは、気の合う者同士が集まって輪読会がいつも行われていました。おもしろそうな本を声に出して読む、朗読するわけです。そうすると、おかしいところで一緒に笑えたり、悲しいところで一緒に涙を流したり。人間の心の振動は、別な人間の心の振動と共鳴し合うと、より深くより大きく喜怒哀楽を味わえるという魅力もありました。それから同じ文章について、人とまったく別な解釈をすることがあります。解釈が違うところでぶつかり合うおもしろさもあって、輪読会はお勧めです。その輪読会に一度、夏目漱石の『吾輩《わがはい》は猫である』がかけられました。駄洒落《だじゃれ》なども非常にうまく訳してあったのです。いろいろな国の子どもたち、その学校は大体五十カ国の子どもたちが通っていたのですが、みんな抱腹絶倒しました。明治時代の日本人が書いた物語を、こんなにいろいろな国の子どもたちが楽しく自然に受け入れることができるんだ、と大変誇らしく思いました。

こういうことを重ねているうちに、ロシア語で文字を追うことが楽になったのです。それでロシアの作家の本にもどんどん挑戦していくようになりました。それはなぜかと今考えますと、ちょうど小学校四年五年生頃って、男女関係の機微とかセックスのこととか、ものすごく知りたくてたまらないけれど、親にも先生にも聞けない。だけど文芸作品にはそれがいっぱい出ている。だから一生懸命読めたと思うのです。とにかく本を読んでいました。

前後の文脈からわかる言葉の意味

それでは、なぜ辞書を引かないで読めたのか？　と思うと、その理由は、単語の意味というのは前後関係や言葉の構成要素で、自ずと浮き上がってくるからなのです。だから気づかないうちに語彙が増えていくわけです。ふつう外国語の勉強をするときは、わからない単語をいちいち書き出して、反対側に日本語の訳を書いて、一生懸命暗記していく。あるいは、本を読んでわからない単語があると辞書を引いて、その意味を知って、またその言葉が出てくるとまたわからなくて、もう一度辞書を引いて、と二回も三回も引くということをしますね。

辞書を引かないで読むと、もちろん二〇%くらいの単語はわからないのです。けれども、物語の中の重要な粗筋《あらすじ》、本流に関係している大事な言葉は何度も出てくるんです。そうすると、前後関係からわかってくるんですね、意味が。たぶんこういう意味だろうとわかっていって、終わった後で辞書を引いて、やっぱり私が思ってた意味と同じだったとなると、なんだか自分は天才じゃないかと元気が出るでしょ? 嬉しくなるでしょ? こういうふうに自分で見つけた言葉の意味は、絶対に忘れないですね。

ところが安易に辞書を引いて、辞書に意味を教えてもらうと、苦労しません。自分が一生懸命どういう意味だろうと考えて、言葉の前後関係から類推していくプロセスがあって辞書を引く場合と違って、単にわからないからすぐ辞書を引くというのでは、その言葉に関する関与度、関心度が低いので、なかなか覚えられないのです。しかし、辞書を引かないで本を読んでいくと、そういうふうに自然に意味が浮き上がってくるんです。さらに本のよいところは、日常語にない抽象的な概念、複雑な文型などが自然に入ってくることです。もちろん本を読むのはそれが目的ではなくて、あくまでもおもしろいから読むのです。魅力的な主人公、あるいは、おもしろい筋に乗せられて読むわけですけれども、結果的にそれで語彙や文の形が非常に増えていくわけです。

攻撃的で立体的な読書

日本の国語の教科書は名作をリライトしたり、あるいはダイジェストにしたりして載せますが、私が通っていたソヴィエト学校では、国語の授業と宿題で実作品を大量に読ませるのです。かなり十九世紀の古典偏重でしたけれども。それから学校の図書館に本を返すときに、司書の先生が生徒に読んだ本の要約を、毎回毎回言わせるんです。感想は聞かれません。つまり、その本を読んだことがない人に、どんな内容かわかるように伝えるということを、毎回やらされるのです。国語の時間もそうです。

小学校三年までいたから覚えていますが、日本では「はい、なになに君。そこ読んでください」。大体一段落読むと、「はい。よくできましたね。じゃ、なになにさん。次の段落を読んでください」。「はい、よくできました」というふうに進めます。

けれども、ソヴィエト学校の国語の時間は、一段落を声を出して読みますね。そして読み終わったら「はい、今読んだ内容を自分の言葉で要約しなさい」と言われるのです。声に出してきれいに読む、純粋に音だけ、文字だけを追って読むことは、ある意味では内容を把握していなくてもできるんです。ところが、読み終わった後にすぐに内容をかいつまんで言わなくてはいけないとなると、ものすごく攻撃的で立体的な読書になっていくわけです。これを徹底的にやらされました。国語の時間は段落ごとの要約ですけれども、図書館に本を返すときは、本一冊分の梗概《こうがい》、要旨を、毎回客観的に、読んでいない人にもわかるように話す訓練をさせられました。こうなると、読み終わったら、あのかなり怖いおばさんにこの内容を話さなくてはいけないなぁ、と思いながら読むわけですから、入ってくるものが羅列的にではなくて、立体的になるのですね。

作文の授業では、まずテーマが決まります。仮に「自分の母親について」とテーマが決まると、そのテーマに関連するような、つまり、人物描写のある文学作品の抜粋をまず読まされるのです。例えば、トルストイの『戦争と平和』に出てくる女主人公のナスターシャ・ロストーヴァ、この人を描いた場面。それからツルゲーネフの『初恋』のアーシャという女主人公、この人についての描き方。こういう抜粋を全部先生が読ませます。そのうえで、それの梗概を書かされるのです。要旨ですね。次に、要旨をさらに詰めて構造を書かされるのです。構造というのは、まず第三者によるその人物に関する噂《うわさ》。次に実際に直接会ったときの第一印象。次に顔とか目とか口などの、ある意味では立ち振る舞いなどの描写。それから癖とか声の調子とか、あるいはいくつかの状況や事件に対するその人の反応の仕方。そして、以上から推察されるその人の性格、ほかの人々との関係について。それから語り手である主人公との関係、交流。ある事件が起きて、その主人公が成長していく姿とか。そういうふうに物語の骨格を把握させて、書かせるんです。そのうえで、母親についての作文だったら、それをどういう梗概・構造で書いていくかをまず考えさせてから、作文を書かせるのです。

分析して理解する

文を読んだり聴いたりして感受していくプロセスは、このように分析的なのですね。理解するというプロセスは分析的です。ところが、話したり書いたりして表現するときは、バラバラになっているさまざまな要素を統合していかなくてはなりません。バラバラのままでは、表現できません。つまり、まったく逆なのです。通訳には、分析的に物を聞き取って正確に把握する能力と、それをもう一度統合してまとめて表現する能力、この両方が必要なんです。ですから、このような国語教育は後に同時通訳になるにあたって、大変役に立ちました。

書き言葉の先生は本

ところが、ロシア語でのコミュニケーション能力がようやく軌道に乗りはじめた頃、私の母語である日本語の危機が訪れました。というのは、そういうところに住んでロシア語の学校に通っていると、日本語の会話は家庭内だけになるからです。しかも、私の父も母も仕事を持っていたので、チェコ以外の外国に出張することが長くなって、半年とか家を留守にすることがあると、結局私と妹だけになってしまいます。だんだん日常生活のほうに引っ張られて、姉妹同士でも会話がロシア語になってしまうのです。特に罵り言葉は、ロシア語のほうがはるかに迫力がありますし、語彙も豊富ですから、喧嘩するときはどんどんロシア語になっていくんです。

それでもなぜ私は日本語を忘れないで済んだかと考えると、チェコに着いて五カ月から六カ月目に、日本から船便で本が届いたのです。これが全五十巻の講談社世界少年少女文学全集。まぁ、世界と言っても当時のことですから、今から思うとかなり先進国偏重ですけれども、それでも世界と日本の選《え》りすぐりの名作が収められていました。そこには『古事記』とか『源氏物語』『平家物語』などの日本の古典、あくまでも子ども向けにダイジェストされたり、リライトされていますけれども。それから『ああ無情』、つまり『レ・ミゼラブル』のことですけれど、そして『最後の授業』とか、いろいろな世界中の名作がそこに収まっていました。それしかないですから、ぼろぼろになるまで読んで読んで読みつくしました。私は電話に出るとすぐ母親と間違えられますから、話し言葉の教師は母親だったと思いますけれども、書き言葉の初級の教師はこの文学全集だったと思います。もちろん日本語の教科書は小学校六年まで全部持っていたのですが、あんな退屈なもの読むはずないですよね。でも、文学作品はおもしろいから「読むな」と言われても読んでしまうわけです。それで非常に自然な形で数限りない文体とか文型、語彙に接するわけです。それしかないから、私は二十回くらい読みました。そして日本語は非常に豊かで奥行きを持った言葉である、という確信のようなもの、信頼感みたいなものが生まれてきました。

外国に五年間滞在しながら日本語が維持できたのは、それらの本のおかげだと思っています。

それでも中学二年の三学期に日本に戻ってみると、書く訓練をまったくしていませんでしたから、やはりこの五年間の空白は非常に大きくて、とにかく必死で大量の漢字を覚えました。今でも私の原稿に漢字が必要以上に多いのは、そのとき一生懸命詰め込んで、せっかく覚えたのだから使わなけりゃ損だ、という感じの貧乏根性があるせいです。それから常套句《じょうとう》・紋切り型もしょっちゅう使いたくなるんです。一度は使わないと損だ、せっかく覚えたのだから、と思うのです。この紋切り型を使うと、なんとなく一人前の日本人になったような気がします。

外国語を忘れないための読書

帰国して一週間もたたないある日、父が私と妹をロシア語関係の図書がある代々木の当時の日ソ図書館と、神保町にあったロシア語の専門店に連れていってくれました。毎週土曜日、その図書館で限度だった四冊の本を借りて、一週間で読み終えて返して、また借りる。それから時々神保町に行ってロシア語の本を買う、という生活を続けました。中学二年で帰ってきてから大学に入るまでは、私はいっさいロシア語の勉強はしていません。しかも中学二年の段階でロシア語の世界から離れたわけですから、あくまでも子どもの生活語を基本とした言葉の世界だったのです。それでも、そのロシア語の能力を維持し、さらに非常に苦痛の少ない、楽しい形で向上できたのは、本を読んでいたおかげだと思います。別に言葉を維持するために本を読んでいたわけではなくて、おもしろいから読んでいたのですけれども。

私自身は外国にいたせいで、日本人だという意識がすごく強いし、どちらかというとナショナリストではないかと心配になるほど、愛国心が強いのです。けれども、五年間の日本語の空白があったから、帰国したての頃は、日本のことをよく知らないという惨めな気持ちにさいなまれていました。今でも私が惚れる男は、大体日本について詳しい人だから、その僻《ひが》みは残っていると思います。そこで、その日本について無知であることを克服するために何をしたかと言うと、やはり本を読みました。日本の文学作品を読もうと思いました。それはなぜかと言うと、文学こそがその民族の精神の軌跡、精神の歩みを記したもので、その精神のエキスである、とプラハの学校で先生方からいつもいつも教えられていたから、私もそうだという思いがあったのです。中学二年の三学期に帰国して、すぐ三年になって、ちょうど高校受験のために文学史を暗記しなくてはなりませんでした。その暗記すべき文学史に載っていた作品を、全部読んでいったのです。だから『今昔物語集』とか『出雲風土記』、『源氏物語』は与謝野晶子訳で読んだし、『平家物語』、滝沢馬琴の『南総里見八犬伝』、近代の川端康成の『伊豆の踊子』まで、ずっと読んでいった。ところが、ある日国語の時間に、先生が「井原西鶴の『好色一代男』読んだ人?」って言われて、「はい」と手を挙げて周りを見たら私一人だったんです。「じゃ田山花袋の『蒲団《ふとん》』は?」と言われて、「はい」って手を挙げたら、また私一人なのです。きっと日本人はとっても謙虚な民族だから、読んでいても読まないと言うのかもしれないと思って聞いてみると、ほんとうに読んでいなかった。けれども、作者の名前と本のタイトル、発表された年などは私よりもはるかによく覚えているのです。これは私にとって大変なショックでした。つまり、読書そのものの感動を体験せずに、そんなデータだけを覚えて、なんて味気なくてつまらない人生だと、他人事《ひとごと》ながら思いました。

読書こそ最良の学習法

今、曲がりなりにも私が母語である日本語と、第一外国語のロシア語を比較的自由に使いこなせて、そのあいだを自由に行き来できて、それでお金を稼いで生活を成り立たせることができるのは、この二つの言語で多読濫読してきたおかげではないかと思っています。新しい言葉を身につけるためにも、維持するためにも、読書はいちばん苦痛のない学習法だと思います。だから、通訳になるにはどのくらいの語学力が必要かと聞かれるたびに、読書を楽しめるくらいの語学力で、それは外国語だけではなくて日本語もですよ、と強調するわけです。

なぜ読書こそが言葉を身につける最もよい方法かと言いますと、言葉というとなぜか単語だと思いがちなのです。私が初めて同時通訳ブースに入ったときに、突然まったく通訳できなくなったのです。「私はこの職業に向かないし、まったく能力がないから、絶対もう同時通訳ブースに入らない、辞める」とその場で私はイヤホーンを放り出してブースを飛び出したんです。そうしたら、師匠の徳永晴美さんが追いかけてきて、「万里ちゃん、単語を全部訳そうとするからできないんだよ。わかるところだけ訳しなさい」と言われました。それで、なぜかそのときに開眼して、ほんとうにわかるところだけを訳していったらできたんです。

それが通訳のコツだと思うんです。ところが、私たちは訳すときに、言葉の部品である単語にとらわれる。つい、その単語にとらわれて訳そうとするのです。しかし、単語が誕生する瞬間を思い出してほしいのです。単語が現れる瞬間というのは、なにかこう言いたいことが出てくる。それをなんと言ったらよいのかわからない。この心や頭の中の状態。悲しいとか、それともハンバーグが食べたいとか、もやもやっとしたものが、いろいろある。言葉が出てくるためには、まずそのもやもやが必要なのです。つまり、まず概念があって、その概念を例えば日本語とか、アメリカ人なら英語とか、ロシア人ならロシア語のコードにしていく。そしてコードにしたものを、声に乗せて音に出すとか、文字にして表現していくわけです。

生きた言葉にするためのプロセス

通訳するときに、そのもやもやの結果として、つまり概念の結果として出てきた、コード化されて文字になったものや音になったものだけを拾って訳していたから、私は同時通訳ができなかったのです。言葉が出てくるメカニズムは、このもやもやから出てくるのです。だから私たちは、この概念が表現されたものを、文字とか音で受け取ったときに、まずその内容を解読しますね。聞き取って解読する、あるいは読み取って解読する。解読して、ああこれが言いたかったのかと、もやもやの正体というものを受け取るのです。そこで、このもやもやの正体がわかったところで、理解できた、となるわけです。文字そのものではないのです。ですから通訳するときには、このもやもやをまた作り出さなくてはならない。つまり、先に言葉が生まれてきたプロセスを、もう一度たどらなくてはいけない。言葉が生まれてそれを聞き取って、あるいは読み取って、解読して何が言いたいかという概念を得て、その概念をもう一度言葉にしていく。つまりコード化して、音や文字にしていくプロセスを経ないと、生きた言葉にならないんですね。その結果だけやるほうが早いと思われるかもしれませんが、実は今のプロセスを経たほうが早いのです。

なぜかと言うと、言葉というのはその部品ではなくて一つのテキストだからです。小説だけではなくて、例えば、物理の好きな人は物理学でもいいし、サッカーが好きな人はサッカーの記事でもいいけれども、言葉とはそういうテキストなのです。このテキストになったものを受け取って、そしてまたテキストにしていくプロセスです。だから、単語ごとに拾って暗記したり、あるいは文法という骸骨《がいこつ》の部分だけを頭に入れるということを、生きた言葉と無関係にいくらしても、ほとんど意味はないですね。魅力もありません。おそらく概念をとらえて訳すということをして、同時通訳は成り立つと思います。手話の場合はどうでしょうか、おそらく一語一句の訳は不可能ではないかと思うのですが、それができるという信仰を捨てない限り、通訳としての飛躍は不可能だと思います。

著作一覧

著書

『マイナス50℃の世界──寒極の生活』現代書館　一九八六年／(復刻改訂版)清流出版　二〇〇七年
『不実な美女か貞淑な醜女か』徳間書店　一九九四年／新潮文庫　一九九八年、第46回読売文学賞随筆・紀行賞受賞
『魔女の1ダース──正義と常識に冷や水を浴びせる13章』読売新聞社　一九九六年／新潮文庫　二〇〇〇年、第13回講談社エッセイ賞受賞
『ロシアは今日も荒れ模様』日本経済新聞社　一九九八年／講談社文庫　二〇〇一年
『ガセネッタ&シモネッタ』文藝春秋　二〇〇〇年／文春文庫　二〇〇三年
『嘘つきアーニャの真っ赤な真実』角川書店　二〇〇一年／角川文庫　二〇〇四年、第33回大宅壮一ノンフィクション賞受賞
『真夜中の太陽』中央公論新社　二〇〇一年／中公文庫　二〇〇四年
『ヒトのオスは飼わないの?』講談社　二〇〇一年／文春文庫　二〇〇五年
『旅行者の朝食』文藝春秋　二〇〇二年／文春文庫　二〇〇四年
『オリガ・モリソヴナの反語法』集英社　二〇〇二年／集英社文庫　二〇〇五年、第13回Bunkamuraドゥ　マゴ文学賞受賞

『真昼の星空』中央公論新社　二〇〇三年／中公文庫　二〇〇五年
『パンツの面目　ふんどしの沽券』筑摩書房　二〇〇五年
『必笑小咄のテクニック』集英社新書　二〇〇五年
『他諺の空似——ことわざ人類学』光文社　二〇〇六年
『打ちのめされるようなすごい本』文藝春秋　二〇〇六年
『発明マニア』毎日新聞社　二〇〇七年
『終生ヒトのオスは飼わず』文藝春秋　二〇〇七年

訳書

ロンブ・カトー『わたしの外国語学習法——独学で外国語を身につけようとしている人々のために』創樹社　一九八一年／ちくま学芸文庫　二〇〇〇年

初出一覧

愛の法則
二〇〇五年六月二十八日　石川県立金沢二水高等学校
北國新聞社・財団法人 一ッ橋文芸教育振興会主催「高校生のための文化講演会」

国際化とグローバリゼーションのあいだ
二〇〇四年十月五日　愛媛県立三島高等学校
愛媛新聞社・財団法人 一ッ橋文芸教育振興会主催「高校生のための文化講演会」

理解と誤解のあいだ——通訳の限界と可能性
一九九八年十月二十三日
愛知県主催　シリーズ講演会「文化夜話」

通訳と翻訳の違い
二〇〇二年四月六日　神奈川県要約筆記協会
神奈川新聞社主催「神奈川新聞社神奈川地域社会事業賞受賞記念講演」

米原万里（よねはら まり）

一九五〇年東京生まれ。作家、エッセイスト。少女時代プラハのソビエト学校で学ぶ。ロシア語会議通訳として多方面で活躍。二〇〇六年五月没。著書に『不実な美女か貞淑な醜女《ブス》か』（新潮文庫、読売文学賞）、『嘘つきアーニャの真っ赤な真実』（角川書店、大宅壮一ノンフィクション賞）、『オリガ・モリソヴナの反語法』（集英社文庫、Bunkamura ドゥ マゴ文学賞）、『必笑小咄のテクニック』（集英社新書）など多数。

米原万里《よねはらまり》の「愛《あい》の法則《ほうそく》」

二〇〇七年八月二二日 第一刷発行
二〇〇七年九月一〇日 第二刷発行

集英社新書〇四〇六F

著者……米原万里《よねはらまり》
発行者……大谷和之
発行所……株式会社集英社
東京都千代田区一ツ橋二-五-一〇 郵便番号一〇一-八〇五〇
電話 〇三-三二三〇-六三九一（編集部）
〇三-三二三〇-六三九三（販売部）
〇三-三二三〇-六〇八〇（読者係）

装幀……原 研哉
印刷所……凸版印刷株式会社
製本所……加藤製本株式会社

定価はカバーに表示してあります。

ISBN 978-4-08-720406-3 C0295

Printed in Japan

a pilot of wisdom

集英社新書　好評既刊

小説家が読むドストエフスキー	加賀乙彦
環境共同体としての日中韓	監修・寺西俊一 東アジア環境情報発伝所編
論争する宇宙	吉井　譲
人間の安全保障	アマルティア・セン
不惑の楽々英語術	浦出善文
姜尚中の政治学入門	姜　尚　中
喜劇の手法　笑いのしくみを探る	喜志哲雄
台湾　したたかな隣人	酒井　亨
郵便と糸電話でわかるインターネットのしくみ	岡嶋裕史
反戦平和の手帖	C・ダグラス・ラミス 喜納昌吉
巨大地震の日	高嶋哲夫
男女交際進化論「情交」か「肉交」か	中村隆文
フランス反骨変人列伝	安達正勝
日本の外交は国民に何を隠しているのか	河辺一郎
ハンセン病　重監房の記録	宮坂道夫
必携！　四国お遍路バイブル	横山良一
映画の中で出逢う「駅」	臼井幸彦
幕臣たちと技術立国	佐々木譲
大人のための幸せレッスン	志村季世恵
サッカーW杯　英雄たちの言葉	中谷綾子アレキサンダー
ヤバいぜっ！　デジタル日本	高城　剛
娘よ、ゆっくり大きくなりなさい	堀切和雅
戦争の克服	阿部浩己 鵜飼哲 森巣博
「権力社会」中国と「文化社会」日本	王　雲　海
アメリカの原理主義	河野博子
独創する日本の起業頭脳	垂井康夫 武田郁夫 編
ブッダは、なぜ子を捨てたか	山折哲雄
日本神話とアンパンマン	山田　永
憲法九条を世界遺産に	太田　光 中沢新一
悪魔のささやき	加賀乙彦
ダーウィンの足跡を訪ねて〈ヴィジュアル版〉	長谷川眞理子
中国10億人の日本映画熱愛史	劉　文　兵
よくわかる、こどもの医学	金子光延
フェルメール全点踏破の旅〈ヴィジュアル版〉	朽木ゆり子

a pilot of wisdom

就職迷子の若者たち　小島貴子
データの罠　世論はこうしてつくられる　田村　秀
搾取される若者たち　阿部真大
落語「通」入門　桂　文我
深層水「湧昇《ゆうしょう》」、海を耕す！　長沼　毅
永井荷風という生き方　松本　哉
武田信玄の古戦場をゆく　安部龍太郎
親ばなれ 子ばなれ　栗坪良樹
人権と国家　S・ジジェク／岡崎玲子
巷談　中国近代英傑列伝　陳　舜臣
みんなの9条　「マガジン9条」編集部編
VANストーリーズ　宇田川悟
世にもおもしろい狂言　茂山千三郎
紐育《ニューヨーク》　ニューヨーク！　鈴木ひとみ
時間はどこで生まれるのか　橋元淳一郎
日本語はなぜ美しいのか　黒川伊保子
「石油の呪縛」と人類　ソニア・シャー

人道支援　野々山忠致
「狂い」のすすめ　ひろさちや
心もからだも「冷え」が万病のもと　川嶋　朗
ニッポン・サバイバル　姜　尚中
クワタを聴け！　中山康樹
鷲の人、龍の人、桜の人　米中日のビジネス行動原理　キャメル・ヤマモト
死に至る会社の病　大塚将司
ロマンチックウイルス　島村麻里
何も起こりはしなかった　ハロルド・ピンター
勘定奉行　荻原重秀の生涯　村井淳志
知っておきたい認知症の基本　川畑信也
越境の時　一九六〇年代と在日　鈴木道彦
田舎暮らしができる人　できない人　玉村豊男
謎解き　広重「江戸百」〈ヴィジュアル版〉　原信田実
増補版　日朝関係の克服　姜　尚中
世界中を「南極」にしよう　柴田鉄治
黒人差別とアメリカ公民権運動　J・M・バーダマン